IAN R

Ein kal

Buch

Gravy arbeitet als Aushilfe auf dem Friedhof, und eigentlich lebt er auch dort. Er ist wahrscheinlich nicht der hellste Kopf unter der Sonne, aber bislang kam er immer irgendwie klar. Bis zu dem Tag, als sein bester Freund mit einer Schussverletzung und in einem fremden Auto auftaucht und ihn um Hilfe bittet. Bevor Benjy blutüberströmt zusammenbricht, kann er Gravy noch eine Plastiktüte mit einer Pistole in die Hand drücken, die dieser für ihn verstecken soll. Gravy hat in den letzten Jahren immer mal wieder etwas für Benjy versteckt, aber eine Waffe war noch nie dabei. Da sein Freund sich aber nicht mehr äußern kann, ist Gravy gezwungen, die Dinge selbst in die Hand zu nehmen. In dem Auto, mit dem Benjy gekommen ist, findet er eine Sturmmaske und eine rote Tasche voller Geldscheine. Aber woher soll er wissen, was Benjy mit dem Geld vorhatte? Wollte er es der Frau bringen, deren Name und Adresse auf dem Zettel im Handschuhfach notiert sind? Gravy sieht nur eine Möglichkeit, dies herauszubekommen, und gerät dabei in höchste Gefahr. Denn offenbar sind eine ganze Menge Leute scharf auf das Geld …

Autor

Ian Rankin, geboren 1960, ist Großbritanniens führender Krimiautor. Seine Romane, die aus den internationalen Bestsellerlisten nicht mehr wegzudenken sind, wurden u.a. mit dem Gold Dagger, dem Edgar Allan Poe Award und dem Deutschen Krimipreis ausgezeichnet. »So soll er sterben« und »Im Namen der Toten« erhielten jeweils als bester Spannungsroman des Jahres den renommierten British Book Award. Ian Rankin lebt mit seiner Frau und seinen beiden Söhnen in Edinburgh. Mehr Informationen zum Autor und seinen Büchern unter www.ian-rankin.de

Die Rebus-Romane in chronologischer Reihenfolge:
Verborgene Muster (44607) · Das zweite Zeichen (44608) · Wolfsmale (44609) · Ehrensache (45014) · Verschlüsselte Wahrheit (45015) · Blutschuld (45016) · Ein eisiger Tod (45428) · Das Souvenir des Mörders (44604) · Die Sünden der Väter (45429) · Die Seelen der Toten (44610) · Der kalte Hauch der Nacht (45387) · Puppenspiel (45636) · Die Tore der Finsternis (45833) · Die Kinder des Todes (46314) · So soll er sterben (46440) · Im Namen der Toten (46941) · Ein Rest von Schuld (46940)

Ian Rankin als Jack Harvey:
Die Kassandra Verschwörung. Thriller (46375) · Bis aufs Blut. Thriller (46376) · Sein Blut soll fließen. Thriller (46374)

Außerdem lieferbar:
Eindeutig Mord. Zwölf Fälle für Inspector Rebus (45604)
Der Tod ist erst der Anfang. Zweiundzwanzig Meisterwerke der Spannung (45605)
Der diskrete Mr. Flint. Roman (46147)
Der Mackenzie Coup. Roman (gebundene Ausgabe, 54651)
Ein reines Gewissen. Ein Fall für Malcolm Fox (gebundene Ausgabe, 54659)

Ian Rankin

Ein kaltes Herz

Roman

Aus dem Englischen
von Giovanni und Ditte Bandini

GOLDMANN

Die Originalausgabe erschien 2009
unter dem Titel »A Cool Head«
in der Reihe *Quick Reads* bei Orion, London

Quick Reads are bite-sized books by bestselling writers and well-known personalities for people who want a short, fast-paced read. They are designed to be read and enjoyed by avid readers and by people who never had or have lost the reading habit.

Produktgruppe aus vorbildlich
bewirtschafteten Wäldern und
anderen kontrollierten Herkünften

Zert.-Nr. SGS-COC-001940
www.fsc.org

Verlagsgruppe Random House FSC-DEU-0100
Das FSC-zertifizierte Papier *München Super* für dieses Buch
liefert Arctic Paper Mochenwangen GmbH.

1. Auflage
Deutsche Erstveröffentlichung April 2010

Umschlaggestaltung: UNO Werbeagentur, München
Umschlagfoto: Collage buchcover.com/doublepointpictures/visum
mb · Herstellung: Str.
Druck und Bindung: GGP Media GmbH, Pößneck
Printed in Germany
ISBN 978-3-442-47134-8

www.goldmann-verlag.de

Für Richard Havers, der mich zu jenem Beach-Boys-Konzert mitnahm, bei dem mir die Idee für diese Geschichte kam. In einem der Songs ging es darum, immer einen kühlen Kopf und ein warmes Herz zu behalten. Das brachte mich auf das Gegenteil – einen heißen Kopf und ein Herz, so kalt wie Stein.

ERSTES KAPITEL

Gravys Geschichte

Mein Dad hat immer zu mir gesagt: »Junge, behalte stets einen kühlen Kopf und ein warmes Herz.« Ich glaub jedenfalls, es war mein Dad. So richtig kann ich mich nicht an ihn erinnern. Ich hab einen Schuhkarton voll Fotos, und auf diesen Fotos zeigt er immer die Zähne. Ich hab so oft mit dem Daumen über sein Gesicht gerieben, dass es jetzt ganz verwischt ist, und das Gleiche scheint auch mit meinen Erinnerungen passiert zu sein. Sie verschwimmen an den Rändern, und manchmal sogar auch in der Mitte. Wenn ich zu Dr. Murray gehen würde, würde er sagen, dass ich wieder anfangen soll, die Pillen zu nehmen. Aber ich mag die Pillen nicht. Ich bekomm von denen einen heißen Kopf. Mein Dad würde das nicht gut finden. Wenn er noch lebt, muss er wohl so um die fünfzig oder sechzig sein. Ich bin dreißig, schätze ich. Manchmal steck ich mir die Hand unters Hemd, nur um zu sehen, ob mein Herz noch warm ist.

Kühler Kopf. Warmes Herz.

Diese Worte sind mir wieder eingefallen, als ich Benjy auf mich zutorkeln sah. Er hielt sich eine Hand an die Brust. Sein T-Shirt war zum größten Teil weiß, aber mit viel Rot dabei. Das Rot sah klebrig und dunkel aus. In der anderen Hand hatte er so eine Tüte, wie man sie im Laden kriegt, aus blauem Plastik.

Ich hab Benjy zuerst gar nicht erkannt. Ich hab nur ein Auto gesehen. Es kam durch das Friedhofstor. Für den Tag war gar keine Beerdigung angesetzt, deswegen habe ich mich ziemlich gewundert. Besucher parken normalerweise draußen auf der Kiesfläche. Da ist ein großes Schild am Zaun: BESUCHERPARKPLATZ. Das war die Stelle, wo Besucher eigentlich parken sollten. Aber dieses Auto ist durch das offene Tor reingefahren. Ich hab mich gefragt, ob ich Ärger kriegen würde, weil ich es aufgelassen hatte. Ich hab mich gewundert, wer wohl im Auto saß. Es war ein schwarzes Auto, schön blank. Vielleicht gehörte es irgendeinem von der Stadt. Der Fahrer war miserabel. Er hätte beinah einen Grabstein gerammt. Das Auto ist immer weiter vorgeruckelt, Stottergas nennt man das wohl. Das bedeutete, dass der Fahrer Anfänger war, aber eine entsprechende Plakette konnte ich nicht sehen.

Das Auto ist stehen geblieben, und die Tür ist aufgegangen. Zuerst ist keiner ausgestiegen. Aber dann hab ich ein Bein gesehen. Und dann noch ein Bein. Und dann hat's der Fahrer geschafft, aus dem Auto zu steigen. Er stöhnte, und da war's, wo er sich an die Brust gegriffen hat. Er hat die Tür offen gelassen und ist auf mich zugekommen. Ich war grad dabei, Laub und Zweige und verwelkte Blumensträuße einzusammeln. Das kam dann alles in mein Feuer. Ich hatte eine Schubkarre und eine Harke, und ich hatte meine Arbeitshandschuhe an.

»Gravy!«

Als er meinen Namen sagte, wusste ich, dass ich ihn kennen sollte. Sein Gesicht und seine Haare waren völlig verschwitzt. Er hatte eine Jeansjacke an, und seine Hose war voller Spritzer. Er trug alte Turnschuhe. Als ich erkannt hab, dass es Benjy war, hab ich mich gewundert. Benjy trägt immer einen schwarzen Ledermantel. Er trägt immer Cowboystiefel und eine enge schwarze Hose und ein schwarzes T-Shirt. Heute war es anders, keine Ahnung, warum.

»Gravy!«

Alle nennen mich Gravy. Aber nicht Gravy wie »Soße« – das hat gar nichts mit Essen zu tun. Ich kann überhaupt nicht kochen. Nur Fertiggerichte für die Mikrowelle und Sachen aus der Imbissbude. Toast, den ja, den kann ich selbst machen – und Bohnen und Spiegelei. Aber keine Lasagne oder so Sachen …

»Gravy!!!«

Nein, *deswegen* hab ich den Namen nicht gekriegt. Der kommt von *graveyard*, weil ich da nämlich arbeite, auf dem Friedhof. Und auch bevor ich hier gearbeitet hab, bin ich hier immer hergekommen und spazieren gegangen. Und hab die Geschichten der Leute auf allen Grabsteinen gelesen. Wo die geboren wurden, wo die gelebt haben, und was sie von Beruf gewesen sind. So was mag ich gern. Und die kurzen Gedichte und Gebete, und manchmal auch ein Ornament oder ein Foto. Diese Fotos werden mit der Zeit immer feucht, auch wenn sie in Plastik eingeschweißt sind. Die verrotten oder verblassen, wie Gedanken und Erinnerungen – und wie die Leute unter der Erde.

»Wo ist dein Mantel?«, hab ich Benjy gefragt. Er war nicht mehr weit von mir entfernt, nur drei Meter. Oder vielleicht dreieinhalb. Er war stehen geblieben und halb zusammengeklappt, als wär er müde.

»Ist jetzt egal«, hat er gesagt. Dann hat er versucht zu spucken, aber der Sabber war ganz glibberig und hing einfach so runter, bis er ihn mit der Tütenhand abgewischt hat – also mit der Hand mit der Tüte. In der Tüte war irgendwas Schweres. Klein, aber schwer. So lässt sich auch Benjy gut beschreiben. Er ist klein, aber schwer. Er sagte immer, er wäre Boxer. Wenn er es mir vorführte, verpasste er mein Kinn immer nur ganz haarscharf. Er war nicht wirklich Boxer, aber er kannte sich mit Boxen aus. Er ging zu Kämpfen und guckte sich auch Videos davon an.

Als er sich wieder aufgerichtet hatte, hat er sich umgeguckt, als ob er sichergehen wollte, dass sonst keiner auf dem Friedhof war.

»Hast du was, was ich für dich verstecken soll?«, hab ich gefragt. Ich hatte schon öfter Sachen für ihn versteckt. Manchmal wollte er sie wiederhaben, Wochen oder Monate später. Manchmal auch nicht. So hab ich ihn überhaupt kennengelernt. Da war er grad dabei gewesen, eine Tüte hinter einem Grabstein zu verstecken.

»Ja«, sagte Benjy jetzt. »Für den Anfang mich.« Da hab ich nichts gesagt. Er machte wieder so ein Stöhngeräusch und hat den Kopf nach hinten gelegt. Dann hat er ein unanständiges Wort gesagt, und das war mir ein bisschen peinlich. Ich hab weggeguckt und mich mit einer Hand auf meine Harke gestützt. Der Mann, der mit mir arbeitete, mein Boss, war schon vor Ewigkeiten nach Haus gegangen, wie an den meisten Tagen. Er sagte mir, was ich tun sollte, und dann setzte er sich in seine Hütte mit einer Zeitung oder einem Buch, seinem Radio, einer Thermoskanne Tee und was zu essen. Die Brote, die ihm seine

Frau schmierte, warf er meistens weg und ging stattdessen zum Bäcker. Nie hat er die Brote mir gegeben oder mir auch was vom Bäcker mitgebracht. Ich wartete, bis er nach Haus ging, und dann hab ich die Brote aus dem Kompost geholt. Ich achtete immer genau darauf, dass da keine Maden oder Laub dran waren.

Also jedenfalls waren nur ich und Benjy auf dem Friedhof. Die Sonne war vom Himmel verschwunden, also wär's vielleicht auch für mich Zeit gewesen, nach Hause zu gehen. Ich kann die Uhr nicht so gut lesen, deswegen muss ich so was immer raten. Aber ein Zuhause hab ich schon. Es ist ein Zimmer in einem Haus. Da wohnen auch noch andere Leute. Und wenn ich die Zeit vergesse, kommt immer einer von ihnen vorbei und holt mich ab, wenn sie daran denken …

»Gravy? Hörst du mir zu?«

»Ja.«

»Du musst mir zuhören.«

»Ja, Benjy.«

»Ich muss mich irgendwo verstecken. Wie steht's mit der Hütte von deinem Boss?«

»Hat er gesagt, dass das in Ordnung geht?«

»Klar doch. Ich hab ihn grad gesprochen.«

»Dann ist es okay.«

»Ist sie abgeschlossen?«

»Er schließt sie immer ab.«

»Aber du hast doch einen Schlüssel?«

Ich schüttelte den Kopf. Früher hatte ich einen Schlüssel, aber dann hat mich mein Boss eines Morgens dabei erwischt, wie ich in der Hütte geschlafen hab. Ich war die ganze Nacht da drin gewesen. Es war da so still und friedlich. Benjy machte inzwischen so ein zischendes Geräusch. Dann fing er an zu husten, und die Spucke, die ihm aus dem Mund kam, war rot, wie wenn er Süßigkeiten gegessen hätte. Er versuchte sie sich wieder abzuwischen, aber die Tüte war zu schwer.

»Ich muss mich verstecken«, hat er wiederholt.

»Hat er dir denn den Schlüssel nicht gegeben?«

»Nein.«

»Das ist aber blöd.« Ich hab kurz nachgedacht. »Wie wär's, wenn du dich hinter der Hecke versteckst?« Ich zeigte darauf. Da mache ich immer das Feuer. Da ist der Komposthaufen. Und der Bagger. Kein sehr großer, aber groß genug, um ein zwei Meter tiefes Loch auszubaggern.

Benjy schien mir nicht zuzuhören. Er ist auf die Knie gefallen, und ich dachte, vielleicht will er beten. »Müde«, sagte er bloß.

»Ja«, hab ich zu ihm gesagt. »So siehst du auch aus.«

Er schaffte es, mich anzugucken. »Dir entgeht aber auch nichts, Gravy.« Dann hat er die Tüte ein Stück nach vorn geschoben. Sie stand vor ihm auf dem Boden. »Versteck die für mich.«

»Klar. Holst du die irgendwann wieder ab?«

»Nicht sehr wahrscheinlich.« Der Kopf ist ihm wieder nach vorn runtergefallen. Ich hab gesehen, wie sich seine Brust und seine Schultern dauernd hoben und senkten. Er war wirklich müde, also hab ich ihn da gelassen und bin auf Zehenspitzen in einen anderen Teil des Friedhofs gegangen und hab noch ein bisschen weitergeharkt.

Als ich wieder zu ihm zurückkam, war es schon fast dunkel. Meine Schubkarre war leer. Ich hatte sie zusammen mit der Harke beim Bagger stehen lassen. Die Handschuhe hatte ich noch bei mir. Die würde ich mit nach Hause nehmen. Es waren gute Handschuhe.

»Benjy? Ich muss jetzt das Tor abschließen«, sagte ich. »Der Boss mag es nicht, wenn es offen bleibt. Nachts kommen Leute rein. Sie lassen irgendwelche Sachen rumliegen. Manchmal schmieren die was auf die Grabsteine oder versuchen, Feuer zu machen. Es gibt eine dicke Kette für das Tor. Soll ich dein Auto rausfahren? Benjy?«

Seine Schultern bewegten sich nicht. Er sah noch

immer so aus, als ob er beten würde. Meine Mum hatte immer gebetet. Sie kniete sich neben ihrem Bett hin und drückte die Hände zusammen. Ich hab's genauso gemacht, und manchmal auch jetzt noch. Aber das Gebet flüstere ich immer nur, damit die anderen Leute im Haus es nicht hören.

»Benjy?«

Ich hab ihm die Hand auf die Schulter gelegt, und da ist er umgekippt, vornüber, bis er mit dem Gesicht auf dem Weg lag. Ich wusste, was das bedeutete. Und als ich ihn umgedreht hab, waren seine Augen zu und der Mund weit auf. Ich hab sein T-Shirt hochgezogen und das Loch in seiner Brust gesehen. Blut kam keins mehr raus. Seine Haut fühlte sich kalt an.

»Schlecht«, sagte ich. Das war das erste Wort, das mir einfiel. »Schlecht, schlecht, schlecht, schlecht.« Fünfmal, zur Sicherheit. Irgendwo bellte ein Hund. Hunde mögen den Friedhof. Katzen und Füchse und Kaninchen auch. Und Vögel, bei Tag. Eine Eule hatte ich noch nie gesehen oder gehört. Auch keine Fledermaus oder eine Maus oder Ratte. Eine alte Dame aus der Siedlung hat mir mal gesagt, dass es in der Nähe Dachse gibt, aber wo, konnte sie mir nicht sagen. Sie sagte, sie könnte sie manchmal riechen. Ich wünsch mir immer, ich hätte sie gefragt, wie die riechen, dann wüsste ich's jetzt.

»Dummer Dachs, dummer Dachs«, hab ich gesagt, weil ich fand, dass das gut klang. Noch dreimal, zur Sicherheit, dann hab ich in die blaue Tüte reingeguckt. Es war eine Pistole. Sie sah echt aus. An der Innenseite der Tüte war Blut. Die Pistole hat nach Öl oder Schmierfett gerochen. Ich hatte schon mal ein Messer für Benjy versteckt, aber eine Pistole noch nie. Gibt für alles ein erstes Mal, hab ich mir gesagt.

Dann hab ich zum Auto rübergeschaut. Innen brannte Licht, und da hab ich einen Schreck gekriegt. Aber die Tür stand auf, und das musste der Grund sein. Wenn man die Tür aufmacht, geht innen so ein kleines Licht an. Ich bin hin zum Auto und hab reingeguckt. Noch mehr klebriges Blut, auf dem Sitz und am Lenkrad, und so eine Strickmütze, wo nur die Augen rausgucken, auf dem Fußboden. Der Zündschlüssel steckte. Im Auto roch es nach Leder, und unter dem Rückspiegel hing ein kleiner grüner Baum. Seine andere Tasche hatte Benjy vergessen. Das war so eine, wie sie Leute zum Fußballspielen oder ins Schwimmbad mitnehmen. Sie war rot und glänzte, und als ich sie aufgemacht hab, war sie voll mit Papier. Ich hab eins der Bündel rausgeholt und unter das Lämpchen an der Decke des Autos gehalten.

Es war Geld.

Auf den Scheinen stand überall 20 drauf. Also war

jeder davon zwanzig Pfund wert war. Ich legte das Bündel zurück und guckte nach draußen. Benjy war immer noch da. Die blaue Tüte mit der Pistole auch. Er hatte gewollt, dass ich die Pistole versteckte. Aber was war mit dem Auto? Und der roten Tasche?

Und was war mit Benjy selbst?

ZWEITES KAPITEL

George Renshaws Schrottplatz

»Ich bin nicht glücklich«, sagte Gorgeous George.

Das traf zu. Aber schließlich war er auch nicht »toll«, wie es sein Spitzname nahelegte. Während er seinen Arbeitgeber anstarrte, fragte sich Don Empson, wie George zu seinem Spitznamen gekommen sein mochte. Vielleicht war er ironisch gemeint, eine Art Jux. So wie wenn man einen ständig trübsinnigen Typ im Pub »Smiley« nannte. Gorgeous George war so breit, wie er lang war, und er war nicht gerade von kleiner Statur. Er trug die Hemdsärmel immer hochgekrempelt. Seine Arme waren haarig und über und über tätowiert. Die Tattoos – Disteln und Dudelsackbläser und nackte Damen – stammten aus seiner Zeit bei der Royal Navy. George war vollkommen kahl. Seine Kopfhaut glänzte. Sie war mit Dellen und Narben übersät, weitere Narben hatte er im Gesicht und am Hals. Er trug an jedem einzelnen Finger einen dicken Goldring, und zwar an jeder Hand, dazu eine schwergoldene Panzerkette mit Namensplatte an dem einen und eine goldene Rolex am anderen Handgelenk. Wenn er lachte, was nicht sehr häufig geschah, konnte man weiter hinten in seinem Mund ein paar Goldzähne blinken sehen. Seine Augen waren klein, fast kindlich, und er hatte keine Augenbrauen. Seine Nase war rot und fleischig, wie eine überreife Erdbeere. Er saß an seinem Schreibtisch und trommelte mit den goldglitzernden Fingern auf der Arbeitsfläche.

»Ganz und gar nicht glücklich«, sagte er.

»Da bist du nicht der Einzige«, erklärte ihm Don. »Was glaubst du wohl, wie es mir geht? Netter kleiner Job, hast du gesagt. Eine simple Übergabe. Ich meine, da hält mir plötzlich einer ’ne Knarre ins Gesicht. Wie soll man da glücklich sein?«

Genaugenommen war es sein Bauch und nicht sein Gesicht gewesen, aber Don fand, dass »Gesicht« besser klang.

»Früher«, knurrte George, »hättest du ihm die Knarre einfach abgenommen und ihm ein bisschen die Fresse poliert.«

»Ja, früher«, räumte Don ein. Es stimmte schon, er wurde allmählich alt. Er hatte fast dreißig Jahre lang für Georges’ Vater gearbeitet. Als Albert gestorben war und George das Geschäft übernommen hatte, war Don eigentlich davon ausgegangen, in die wohlverdiente Rente geschickt zu werden, aber George hatte ihn bei sich behalten wollen, als »Erinnerung an die alten Zeiten«. Don war nicht begeistert gewesen, hatte aber nichts gesagt.

Und jetzt das.

»Sicher, dass du ihn nicht erkannt hast?«, fragte George noch einmal.

»Er war maskiert.«

»Und war er allein?«

»Soweit ich sehen konnte.«

»Und ihr wart zu dritt? Drei gegen einen?«

»So wie's aussah, war er der Einzige mit einer Knarre in der Hand.« Don schwieg kurz. »Bist du dir sicher, dass wir das hier diskutieren sollten?«

Er meinte die Wanzen. George befürchtete, dass die Bullen ihm das Büro verwanzt hatten. George zog ein finsteres Gesicht, dachte dann aber nach und nickte. »Machen wir einen Spaziergang«, sagte er und stand auf.

Das Büro war in einem Container untergebracht, und der stand mitten auf einem Schrottplatz. Don war misstrauisch. Er wusste, was diese Worte bedeuten konnten – *machen wir einen Spaziergang*. Gingen nicht immer gut aus, die Spaziergänge, die manche Leute auf diesem Schrottplatz machten – mit Gorgeous George.

Als sie den Container verließen, waren Dons Schultern und Arme angespannt. Der Kran – der mit dem großen Magneten, der von seinem Dreharm herunterhing – hatte für heute Feierabend. Die Schrottpresse stand stumm da. Im Laufe der Jahre hatte sie ihr hübsches Sümmchen an Autos zusammengequetscht. Gelegentlich hatten diese Autos Beweismaterial enthalten … und manchmal auch Leichenteile.

»Ich hab's dir doch schon gesagt«, sagte Don zu seinem Boss, »ich werd langsam zu alt für solche Sachen. Die Welt ändert sich zu schnell. Du solltest dich eher auf jüngere Typen wie Sam und Eddie verlassen.«

»Letzten Endes ist es eine Frage des Vertrauens, Don«, erwiderte George, »und ich würde keinem von beiden so vertrauen, wie ich dir vertraue. Mein Dad sagte immer: Gorgeous George ›Don ist der Mann. Gibt's Probleme, schafft sie Don aus der Welt.‹«

»Das war mal, George.«

George hatte den Arm um Dons Schultern gelegt. Sie kamen gerade an den Schäferhunden vorbei. Die zwei riesigen Tiere fixierten sie mit heraushängender Zunge. Aber sie gaben keinen Mucks von sich. Sie würden sich hüten, George anzubellen. Wäre Don allein gewesen, hätten sie jetzt an der Kette gezerrt, begierig, einen Arm oder ein Bein von ihm zwischen die Zähne zu bekommen. Aber momentan stand er unter Georges Schutz.

Die zwei Männer waren unterwegs ins Herz des Schrottplatzes. Hier lagen Autos und andere Fahrzeuge aufeinandergestapelt. Viele waren nach Verkehrsunfällen hergeschleppt worden. Verkehrsunfälle, bei denen Menschen ums Leben gekommen waren. Bei denen Menschen Körperteile und Angehörige verloren hatten.

»Also, jetzt noch mal von vorn«, sagte George. »Erzähl mir, wie alles passiert ist.«

Don dachte kurz nach und atmete tief durch. »Na ja«, sagte er, »ich bin zur Servicewerkstatt und direkt in die Halle gefahren, wie du mir gesagt hattest. Hanley war noch nicht da, Raymond und ich waren allein. Raymond hatte gerade einen Bentley in Arbeit, polierte das Armaturenbrett, echt gründlich und so …«

»Das ist schließlich sein Job. Er tut nichts anderes.«

»Jetzt nicht mehr.«

George rang sich einen mitleidigen Blick ab. »Jetzt nicht mehr«, bestätigte er.

»Na, wie auch immer, ich rede grad mit ihm, das übliche Zeug … und dann kommt Hanley. Er fährt vor, lässt aber sein Auto bei den Zapfsäulen stehen und schaltet den Motor nicht aus. Er hatte nicht vor, lang zu bleiben. Die Tasche lag bei mir im Auto, auf dem Beifahrersitz. Das Ganze hätte eigentlich in zwei Minuten über die Bühne gehen können …«

»Und wann tauchte also der Schurke auf?«

»Er war plötzlich da. Eine Sturmhaube über dem Gesicht. Bloß zwei Löcher für die Augen und eins für den Mund. Er hatte eine Pistole in der Hand. Das Komische dabei war …«

»Was?«

»Na ja, wie ich ihn gesehen hab, da kam mir so ein verrückter Einfall. Ich hab mich gefragt, ob du ihn nicht vielleicht geschickt hattest.«

»Ich?«

»Auf die Weise hättest du dein Geld wieder, und Hanley könnte sich nicht beschweren. Er müsste dann trotzdem seinen Teil der Abmachung einhalten.«

George schüttelte den Kopf. Aber er dachte sichtlich nach. Don glaubte zu wissen, was er dachte – Verdammt, warum bin ich bloß nicht von selbst draufgekommen …

»Und du hast ihm die Kohle einfach so überlassen?«, fragte George.

»Ich taug nicht zum Märtyrer, George. Die Kanone war echt.«

»Und wie ist es dann zur Schießerei gekommen?«

»Also, da waren wir drei, ich, Hanley und der Maskierte. Keiner achtete auf Raymond. Er muss die Kanone irgendwo versteckt gehabt haben. Er hat zweimal geschossen. Hat mordsmäßig geknallt.«

»Und hat er den Typ erwischt?«

»Der erste Schuss ging daneben, der zweite hat ihn in die Brust getroffen.« Don schwieg kurz. Die Erinnerung tat weh. Er räusperte sich ausführlich. »Aber inzwischen hatte er seinerseits zurückgefeuert. Kopfschuss, und Raymond ist umgekippt. Das Geld war noch immer in meinem Auto, da ist der Maskierte reingesprungen und ist rückwärts aus der Werkstatt raus. Dann hat er gewendet und war weg.«

»Bevor du Raymonds Kanone aufheben konntest?«

Don zuckte bloß die Achseln.

»Was hat Hanley getan? Außer sich in die Hose zu scheißen, meine ich.«

»Er ist zu seinem Auto zurückgerannt und hat die Flatter gemacht.«

»Selbe Richtung wie der Schurke?«

Don schüttelte den Kopf. »Du glaubst, Hanley …? Aber er hätte das Geld doch sowieso gekriegt.«

George ließ sich das durch den Kopf gehen und nickte. Dann verschränkte er die Arme. »Das ist nicht gut, Don. Wie bist du da weggekommen?«

»Na ja, beim Bentley steckte der Schlüssel.«

»Wo ist er jetzt?«

»Steht hinter dem Bürocontainer. Meinst du, er muss in die Presse?«

»Na, aber sicher!«

»Schade drum. Raymond hatte ihn so schön geputzt …«

»Na ja, Raymond war eben Profi, nicht wahr?« George warf Don einen Blick zu, als wollte er sagen: *Und ich hatte gedacht, du wärst auch einer.*

»Ich hab in meinem ganzen Leben noch keinen abgeknallt, George. Früher, da reichten die Fäuste, höchstens mal eine Flasche oder ein Messer.«

»Früher war früher.« George dachte wieder kurz nach. »Ich muss mit Hanley reden, hören, ob mit ihm alles in Ordnung ist. Und *du* musst deine Karre wieder auftreiben. Außerdem wär da noch immer diese andere kleine Angelegenheit zu erledigen.«

Don nickte. »Was ist mit unserem Freund mit der Maske?«

»Er ist verwundet, vielleicht schwer verwundet. Er muss in irgendeinem Krankenhaus liegen.« George zeigte mit dem Finger auf Don. »Also telefonier mal ein bisschen rum.«

»Und dann machen wir den Krankenbesuch?«

George nickte lediglich. »War Raymond verheiratet? Gibt's jemand, dem wir Blumen schicken sollten?«

»Ich weiß nicht.«

»Find's raus.«

»Vor oder nach der anderen Angelegenheit?«

George starrte ihn finster an. »Was glaubst du? Nein, egal, was *du* denkst. Wer immer hinter dieser Maske steckte, wusste von der Geldübergabe. Das bedeutet, es ist jemand, den wir kennen, oder jemand, den Hanley kennt. Das bedeutet, jemand hat irgendwo geplaudert – oder ist selbst gierig geworden. Das bedeutet, er ist *in unserer Nähe*, Don. Und wenn er in unserer Nähe ist, wird's nicht schwierig sein, ihn zu finden.«

Don nickte. *Das Problem, George*, dachte er, *ist: Du hast gar keine Ahnung* wie *nah* …

»Wann sagen wir's Stewart?«, fragte er.

»Wenn ich so weit bin«, knurrte George und marschierte zurück in Richtung Hunde und Container.

Don wartete eine Minute und nahm dann denselben Weg. Die Schäferhunde knurrten und geiferten und fletschten die Zähne. Sie standen auf den Hinterbeinen und stemmten sich, mit den Vorderpfoten ins Leere krallend, mit aller Kraft gegen ihre Stachelhalsbänder. Ohne sie zu beachten, ging Don zum Bentley. Er wusste nicht, wem der Wagen gehörte. An den Fenstern klebte etwas Staub und an den Reifen ein bisschen Schlamm. Dazu kam etwas Blut und Gehirnsubstanz von Raymond am rechten Kotflügel. Einmal drübergewischt, und die Sache wäre erledigt gewesen. Oder mit dem Schlauch abgespritzt, wenn man wirklich auf Nummer sicher gehen wollte. Aber das Wageninnere war sauber, ja makellos rein. Im Kopft spielte er verschiedene Möglichkeiten durch. Aber sobald man das Verschwinden des Bentley bemerkte, würden die Bullen annehmen, dass Raymonds Mörder ihn gestohlen hatte, und dann würde es nicht ratsam sein, sich damit erwischen zu lassen. Nein, Gorgeous George hatte Recht, er musste verschrottet werden. Trotzdem schade.

Aber Don hatte mehr als genug andere Probleme. Er wusste, dass er eigentlich hätte wütend sein müssen, aber er war einfach nur traurig. Die Wahrheit war, es gab keinen Ausweg.

Kein Happy End.

DRITTES KAPITEL

Gravys Geschichte (2)

Ich hab eine Weile gebraucht, bis ich ihr Haus gefunden hatte. Ich kenn mich in dem Teil der Stadt nicht aus. Benjys Auto hatte einen von diesen kleinen Apparaten mit Landkarten drin, aber ich wusste nicht, wie er funktioniert. Aber Auto fahren kann ich, ist nicht viel anders als Autoscooter. Das von Benjy war eins mit Automatik. Das sind die, die ich fahren kann. Also bin ich zu ihrer Adresse gefahren. Das Stück Papier lag im Handschuhfach. Warum heißt es eigentlich Handschuhfach? Ich hab probiert, meine eigenen Handschuhe reinzutun, aber sie passten nicht, nur mit Quetschen, und quetschen wollte ich sie nicht. Aber dafür hab ich das Stück Papier gefunden, und da stand ihr Name drauf und auch ihre Adresse. Sie hieß Celine Watts. Ich hab neben ein paar Jungs auf Fahrrädern gehalten und ihnen die Adresse gezeigt. Sie haben den Kopf geschüttelt. Dann hab ich es an einer Bushaltestelle probiert, und ein Mann hat den Finger ausgestreckt: immer die Straße lang. Bin dann ein paarmal falsch gefahren, aber eine Frau, die grad vom Einkaufen zurückkam, hat mir genau gesagt, wo ich hinmusste. Rechts, und dann noch einmal rechts. Ich weiß, dass ich Rechtshänder bin, das heißt, ich schreibe mit der rechten Hand, das ist ein guter Trick, um rechts von links zu unterscheiden.

Merchant Crescent 10 war ein Wohnblock in einer Sozialbausiedlung. Aber da waren gar nicht so viele Graffiti auf den Wänden und keine Einkaufswagen oder ausgebrannte Autos. Es war eigentlich ganz hübsch. Ich hab am Straßenrand geparkt und musste erst mal rauskriegen, wie die Handbremse funktioniert. Dann bin ich zu ihrer Haustür gegangen und hab geklingelt. Ich hab drinnen nichts gehört, also hab ich noch mal geklingelt. Dann hab ich stattdessen geklopft, und da hat von innen eine Stimme durch die Tür gerufen.

»Wer ist da?« Es war eine Frauenstimme.

»Ich bin's, Gravy«, hab ich zurückgerufen. »Ich bin wegen Benjy hier.« Weil nämlich, die Sache war die, ich musste es jemandem erzählen. Jemand musste wissen, was ich wusste.

»Wegen wem?«

»Benjy. Ihrem Freund Benjy.«

»Ich hab keinen Freund, der Benjy heißt.«

Ich guckte auf das Stück Papier. »Hier steht Zeh-lie-ne Watts.«

»Das spricht sich *Se-liin* aus«, hat sie rausgerufen. Dann ist die Tür einen Spaltbreit aufgegangen, und ich konnte ein Stück von ihrem Gesicht und ihr eines Auge sehen. »Wer sind Sie?«

»Ich bin Gravy. Ein Kumpel von Benjy. Hier.« Ich hab das Papier hochgehalten, so dass sie es lesen konnte. »Das lag in seinem Auto, und jetzt ist er … Er hat einen schlimmen Unfall gehabt.«

Sie starrte auf das Stück Papier, und dann hat sie mir in die Augen gesehen. »Wer hat Sie hergeschickt?«, hat sie gefragt. Sie klang ängstlich.

»Keiner.«

»Wollen Sie mich umbringen?«

»Nein!« Ich glaub, ich hab richtig erschrocken geguckt.

»Sie sehen eigentlich auch nicht so aus, als ob Sie's vorhätten.«

»Hab ich auch nicht.«

»Aber ich kenne keinen Benjy.«

»Ihr Name war in seinem Auto.« Ich hab ihr das Stück Papier näher hingehalten.

»Das sehe ich.« Die Tür war ein Stück weiter aufgegangen. Jetzt konnte ich mehr von ihr sehen. Ihr Haar war braun und kurz. Ihr Gesicht war rund und glänzte. Ihre Augen waren grün. »Dieser Freund von Ihnen, der Benjy heißt, hatte also meinen Namen und meine Adresse in seinem Auto?«

Ich nickte, und sie guckte über meine Schulter.

»Ist das da sein Auto oder Ihres?«, fragte sie.

»Seins, nehm ich an.«

»Nehmen Sie an?«

»Na ja, das ist nicht sein normales Auto. Sein normales Auto ist grün, ein bisschen wie Ihre Augen.«

Da hat sie fast gelächelt. »Und was ist mit Benjy?« Jetzt war die Tür ganz auf.

»Dem geht's nicht so gut.«

»Wer ist er? Wie heißt er mit Nachnamen?«

»Seinen Nachnamen weiß ich nicht.«

»Ist er Ihr Arbeitskollege?«

»Nein.« Jetzt musste ich nachdenken. »Ich weiß nicht, wo er arbeitet. Aber er muss einen Job haben, weil er immer Geld hat.« Dann hab ich mich verbessert. »Immer Geld *hatte*, meine ich.«

Da sind ihre Augen schmal geworden. »Wollen Sie damit sagen, dass er tot ist?«

Ich hab geschnieft und mir die Nase gerieben. »Ich glaub schon«, sagte ich. Celine Watts nahm mir das Stück Papier aus der Hand.

»Und das hier haben Sie in seinem Auto gefunden?«

»Ja.«

»Aber das ist nicht das Auto, das er normalerweise fährt?« Sie guckte mir jetzt wieder über die Schulter. »Wie ist er denn gestorben?«

»Ich weiß nicht.« Ich glaub, sie hat gemerkt, dass das gelogen war. »Was dagegen, wenn ich einen Blick reinwerfe?«

»Wo rein?«

»Ins Auto.« Sie hat sich an mir vorbeigedrückt und die Tür sperrangelweit aufgelassen. Ich wollte ihr sagen, dass so die ganze Wärme rausgeht, das würde nämlich meine Mum sagen. Aber dann bin ich ihr einfach nur nachgegangen. Sie hat die Beifahrertür aufgemacht. »In so 'ner Gegend sollten Sie es abschließen«, sagte sie. Dann hat sie das Handschuhfach aufgemacht.

»*Meine* Handschuhe haben da nicht reingepasst«, hab ich erklärt, aber sie hörte gar nicht zu. Sie hat ein Buch rausgeholt und drin geblättert. Da waren Zeichnungen von allen Teilen des Autos. Aber ganz hinten war noch ein weiteres Blatt Papier, zweimal zusammengefaltet. Sie hat es auseinandergefaltet.

»Das ist eine Rechnung«, hat sie gesagt, »von einer Autowerkstatt.« Dann hat sie nichts mehr gesagt. Sie hat nur so ein gurgelndes Geräusch im Hals gemacht. Ihr Mund stand offen.

»Gravy«, hat sie gesagt, »kennen Sie einen Donald Empson?«

Ich hab den Kopf geschüttelt. »Ist das sein Auto?«

»Ich glaub, ja«, hat sie gesagt. »Auf der Rechnung steht sein Name.«

»Und Sie kennen ihn?«

Sie legte sich eine Hand auf die Brust, wie um zu sehen, ob ihr Herz schlug. Warmes Herz, kühler Kopf. »Ich weiß, wer er ist«, sagte sie leise. »Sie wissen wirklich nicht, wie Ihr Freund Benjy gestorben ist?«

»Ich glaub, jemand hat ihn umgebracht.« Mir kamen Tränen in die Augen. Ich hab sie weggewischt.

»Er war ein Freund von Ihnen?«

»Ja.« Ich hab's noch viermal wiederholt, zur Sicherheit. Sie schien an irgendwas zu denken und starrte dabei in die Ferne. Dann hat sie sich umgedreht und auf die offene Tür ihres Hauses geguckt.

»Und die Polizei meinte, hier wär ich in Sicherheit«, sagte sie. Sie schüttelte langsam den Kopf. Wir haben eine Minute lang schweigend dagestanden, und dann hat sie mich gefragt, was in der Tasche wäre. Die stand vor dem Beifahrersitz auf dem Boden des Autos.

»Die gehört nicht mir«, hab ich gesagt.

Da machte sie aber schon den Reißverschluss auf. Wie sie reinguckte, hat sie erst mal meine Handschuhe gesehen, aber dann hat sie gesehen, was darunter war, und sie hat sich wieder die Hand an die Brust gelegt.

»Das ist Benjys Geld«, hab ich erklärt. »Ich weiß nicht, was ich damit machen soll. Ich hatte gehofft, Sie sind eine Freundin von ihm …«

Da hat sie mich angeguckt und dann gelächelt. Es war ein breites, strahlendes Lächeln, gefolgt von einem Lachen.

»Ich *bin* eine Freundin von Benjy«, hat sie gesagt und meinen Arm genommen und ihn gedrückt. »Das sollte eine Überraschung für mich werden.« Sie zeigte mit dem Kopf auf die Tasche. »Und jetzt haben Sie sie mir nach Haus gebracht. Danke, Gravy!«

Ich war ein bisschen durcheinander. »Die Tasche ist für Sie?«

»Das ist Geld für meinen Urlaub.«

Ich hab darüber nachgedacht, aber ich hab's trotzdem nicht kapiert. Der Mittelteil war irgendwie gar nicht klar.

»Ich muss weg«, sagte sie weiter. »Ziemlich schnell, Gravy.« Sie guckte wieder zur offenen Tür. »Ich muss nur noch ein paar Sachen einp- … nein, vielleicht doch nicht. Ich kann mir unterwegs alles kaufen, was ich brauche. Einen Pass allerdings nicht.« Sie biss sich auf die Unterlippe. »Der Pass ist in meiner Wohnung.«

»Ist das hier nicht Ihr Haus?«

»Hier wohnt meine Kusine. Die Polizei nannte das ein ›sicheres Haus‹ – haben *die* eine Ahnung. Ich bin erst zwei Tage hier, und schon hat Don Empson die Adresse raus.« Dann hat sie sich umgeguckt und sah auf einmal ängstlich aus. »Ich muss weg von hier, Gravy«, hat sie dann entschieden. »An einen sicheren Ort. Können Sie fahren?« Dann ist ihr aufgegangen, was sie grad gesagt hatte, und sie hat kurz gelacht. »Was red ich da? Sie sind ja hergefahren, nicht?«

»Klar«, hab ich gesagt.

»Könnten Sie mich dann vielleicht mitnehmen?«

»Zur Bushaltestelle?«, hab ich getippt, aber sie hat den Kopf geschüttelt.

»Nach Edinburgh.«

»Das ist ja *meilenweit* weg. Da könnte uns der Sprit ausgehen.«

»Wir haben Geld«, hat sie gesagt und mich wieder am Arm gepackt. »Viel Geld, schon vergessen? Mein Urlaubsgeld.«

Und dann hat sie die Tasche rausgeholt, ist ins Auto eingestiegen und hat sie sich auf den Schoß gestellt.

»Wollen Sie die Tür auflassen?«, hab ich gefragt und auf das Haus gezeigt. »Die ganze Wärme geht ja raus.«

»Soll sie doch«, hat sie mich angeblafft. Aber sie

konnte sehen, dass ich nicht glücklich war. »Die Zimmer müssen gelüftet werden«, hat sie erklärt. »Sonst wird's stickig da drin. Jetzt kommen Sie.« Sie klopfte mit der Hand auf den Fahrersitz. »Jetzt zeigen Sie mir, dass an Ihnen ein Rennfahrer verloren gegangen ist.«

»Was?«

Sie seufzte und verdrehte die Augen. »Steigen Sie einfach ein, und fahren Sie, Gravy.«

»Ich kenn mich in Edinburgh nicht aus. Ich bin nie da gewesen.«

»Wir nehmen die Autobahn. Keine Angst, Sie verfahren sich schon nicht.« Dann ist ihr Gesicht wieder traurig geworden. »Es sei denn, Sie wollen einer Freundin von Benjy nicht helfen. Wenn Sie mir nicht helfen wollen, sagen Sie's nur.«

Aber ich wollte ihr helfen. Ich wollte sie wieder lächeln sehen. Es war ein gutes Lächeln. Ein Lächeln wie von meiner Mum.

»Okay«, hab ich gesagt.

VIERTES KAPITEL

Don Empson auf der Jagd

Jim Gardner war Benjys bester Freund. Als Don Empson mit ihm fertig war, tropften aus Jim Blut und Tränen. Don nahm nicht an, dass er irgendwas wusste. Trotzdem hatte er ihm ein paar Fragen gestellt. Wen kannte Benjy sonst noch? An wen würde er sich wenden, wenn er Hilfe bräuchte? Und Jim hatte denn auch wie ein Wasserfall geredet. Don fühlte sich mies deswegen – er hatte seine private Wut an Gardner ausgelassen. Nicht sehr professionell.

Seit er vom Schrottplatz weggefahren war, hatte Don alle Hände voll zu tun gehabt. Er hatte sich eins der Autos ausgeborgt. Es gab Geräusche von sich, als hätte es nicht mehr lang zu leben.

»Da geht's uns ähnlich«, hatte er zu der Karre gesagt. Und es stimmte mit Sicherheit, zumindest was ihn anging. Sechs Monate, hatten die ihm im Krankenhaus gesagt. Mit Behandlung vielleicht ein Jahr, aber seine Lebensqualität wäre sehr beeinträchtigt.

Und er würde die Hälfte seiner Zeit auf einer Rollliege im Krankenhauskorridor verbringen.

»Besten Dank«, hatte er gesagt. »Geben Sie mir einfach Tonnen an Schmerzmitteln.«

Einen Vorrat davon hatte er in der Tasche, aber das Einzige, was ihm momentan wehtat, waren seine Fäuste. Jim Gardner hatte ihm von diesem Friedhof erzählt, draußen bei den alten Wohnblocks. Da sei Benjy zufolge irgend so ein Typ, der ganz brauchbar wäre. Er versteckte ihm bei Gelegenheit Sachen.

Alle möglichen Sachen.

Gardner wusste nicht, wie der Mann hieß, aber das war egal. Auf dem Weg zum Friedhof rief Don seinen Kumpel bei der Polizei an. Für ein paar Drinks würde der eine Meldung an alle Streifenwagen rausgeben. Die würden dann nach Dons Auto Ausschau halten – mit dem sich Benjy abgesetzt hatte. Für ein paar weitere Drinks würde sich derselbe Kumpel bei sämtlichen Krankenhäusern in der Umgebung erkundigen, ob jemand mit einer Schussverletzung eingeliefert worden sei.

»Schussverletzung?«, hatte der Bulle gefragt.

»Keine Sorge«, hatte Don ihm gesagt. »Die hat er sich redlich verdient.« Er wollte den Bullen nicht verschrecken.

Aber als Don vom Auto aus noch einmal anrief,

gab es keine Neuigkeiten. Die Fahrt zum Friedhof dauerte zwanzig Minuten. Von Raymonds Werkstatt aus wäre er sogar noch schneller, in vielleicht zwölf bis fünfzehn Minuten, zu erreichen gewesen. Überhaupt keine Entfernung. Das Tor war geschlossen. Er stieg aus und schaute es sich näher an. Die zwei Flügel wurden durch eine Kette zusammengehalten. Don spähte zwischen den Gitterstäben hindurch, konnte aber keine Menschenseele sehen.

»Nur tote Seelen«, sagte er zu sich. Er hatte seine eigene Bestattung schon längst geplant: eine Einäscherung zu Musik von Johnny Cash.

Falls er überhaupt noch so lange lebte. Ihm fiel die Schrottpresse ein, und er musste sich das Bild aus dem Kopf schütteln. Er schaute sich um. Ein Stück weiter den Hügel hinauf standen ein paar Kids mit ihren Rädern bei einem Laternenmast. Don fuhr auf sie zu und bremste. Er stieg wieder aus. Zwanzig Pfund, einen Fünfer pro Kid, danach wusste er schon einiges mehr. Der Typ, der auf dem Friedhof arbeitete, hieß Gravy. Er war »nicht ganz dicht«. Don hörte zu und beschrieb dann sein eigenes Auto. Nicken hier und da. Dann beschrieb er Benjy. Weiteres Nicken.

»Habt ihr das Auto wegfahren sehen?« Daran konnten sich die Jungs irgendwie nicht erinnern, bis weitere zwanzig Pfund den Besitzer gewechselt hatten.

»Noch nie so was Komisches gesehen«, sagte einer der Jungs. Die anderen grinsten bei der Erinnerung.

»Gravy beim Autofahren!« Er platzte laut los, und seine Freunde fielen in sein Lachen ein.

»Habt ihr 'ne Ahnung, wo er hinwollte?«

Sie schüttelten den Kopf.

»Und der andere Typ ist nicht aufgetaucht?«

Sie schüttelten wieder den Kopf.

Don nickte bedächtig und fragte sich, ob weitere zwanzig Pfund was gebracht hätten. Wahrscheinlich nicht. Also sparte er sich die Ausgabe und stieg wieder in seine Schrottkarre. War es denkbar, dass sich das Geld auf dem Friedhof befand? Und Benjy vielleicht auch? Don wendete. Die Jungs zogen ab. Sie winkten ihm zu. Er winkte zurück und trat ein bisschen fester auf das Gaspedal. Das Auto rammte das Tor, und die Kette zerknallte. Die Torflügel flogen auseinander. Während er weiterfuhr, war sich Don bewusst, dass die Jungs irgendwo hinter ihm jubelten und klatschten. Er fuhr eine Runde über den Friedhof, konnte aber nichts Ungewöhnliches sehen. Er hielt und stieg aus. Da war eine Hütte, aber an der Tür hing ein Vorhängeschloss. Das Fenster war mit Maschendraht gesichert. Er warf einen Blick in die

Hütte, sah aber niemanden. Hinter einer Hecke fand er einen Schaufelbagger und eine Schubkarre, und das war's denn auch. Er stand da im Dunkeln und kratzte am Kopf.

Das tat er noch immer, als der Polizeiwagen vorfuhr.

Er brauchte eine Stunde, um sich herauszureden. Sie nahmen ihn mit auf die Wache. Der diensthabende Sergeant wusste, wer er war, und kaufte ihm seine Geschichte nicht ab. Irgendwelche Kids seien mit einem geklauten Auto durch das Tor gebrettert und anschließend abgehauen … Don Empson, der besorgte Bürger, hatte nach dem Rechten gesehen.

»Ich wollte mich vergewissern, dass nichts beschädigt wurde.«

»Dann gehört das Fahrzeug also nicht Ihnen, Sir?«

»Hab's noch nie zuvor gesehen.«

Als sie ihn gehen ließen, atmete er die kalte Nachtluft ein und holte sein Handy aus der Tasche. Es ging nicht anders. Er würde Sam und Eddie einschalten müssen. Sie traten immer paarweise auf. Sie waren schon seit der Grundschule dicke Freunde und völlig durchgeknallt, alle beide. Aber das war nicht das eigentliche Problem. Sie durften nicht wissen, was *er* wusste. Sie durften nicht erfahren, dass Benjy der Todesschütze war.

Denn Benjy gehörte zur Familie. Er gehörte zu *Dons* Familie. Sein Neffe. Und wenn Don ihn nicht zuerst fand, war der Junge so gut wie tot. Immer vorausgesetzt, er *war* nicht schon tot. Don spürte einen stechenden Schmerz im Magen. Er rieb ihn sich, so wenig das auch helfen würde. *Benjy, du verfluchter Idiot*. Kein Happy End.

Er dachte an die Szene in der Werkstatt zurück, die paar Sekunden, die er gebraucht hatte, um Benjys Gestalt und Stimme zu erkennen. Er war kurz davor gewesen, etwas zu sagen, als der erste Schuss geknallt hatte. Und danach, nur für einen Moment, hatten Benjys weit aufgerissene, verängstigte Augen in seine Augen geblickt. Dann hatte er sie zugekniffen. Brusttreffer. Hätte Don ihn davon abhalten sollen wegzufahren? Hätte er rufen sollen: *Ich besorg dir einen Arzt*? Wahrscheinlich. Jetzt aber lautete die Frage: Hatte Benjy gewusst, dass es sein Onkel sein würde, der das Geld übergab? Falls ja, hatte er darauf spekuliert, dass Don ihn entweder nicht erkennen – oder aber ihn nicht verpfeifen würde.

Tolle Idee.

Alles lief auf diesen einen kurzen Blickkontakt hinaus. In Benjys Augen war keinerlei Überraschung zu sehen gewesen, also *hatte* er mit Don gerechnet – und mehr noch, er hatte damit gerechnet, von ihm erkannt zu werden …

Froh, seinen Onkel in die Scheiße zu reiten.

»Beruht ganz auf Gegenseitigkeit, Jungchen«, sagte Don in die Nachtluft und rieb sich wieder den Magen.

FÜNFTES KAPITEL

Stewart Renshaws Spielkasino

Stewart Renshaw war gerade in einem seiner Kasinos, als sein Bruder anrief.

»George«, sagte er. »Ist alles nach Plan gelaufen?«

Das Schweigen am anderen Ende der Leitung war Antwort genug. Stewarts Gesicht verkrampfte sich, und er entschied, dass der Spielsaal ein etwas zu öffentlicher Ort war. Es waren nur ein paar Gäste da, aber es war noch früh, noch nicht ganz Mitternacht. Er öffnete eine Tür mit der Aufschrift PRIVAT und betrat einen Flur, den nur das Personal benutzte. Er war leer.

»Schieß los, George«, sagte er.

»Hat ein bisschen Ärger gegeben«, gestand Gorgeous George endlich. »Da ist jemand mit einer Kanone aufgetaucht, hat auf Raymond geschossen und ist dann mit der Kohle abgehauen.«

»Wie geht's Raymond?«

»Ist ein Fall für den Leichenbestatter.«

Stewart lehnte sich gegen die Tür und schloss die Augen. »Und was ist mit Hanley?«

»Sonst hat keiner was abbekommen … außer dem Schützen.«

»Ist der auch tot?«

»Raymond hat ihn in die Brust getroffen. Der kommt nicht weit.«

»Aber er hat mein Geld?«

»Ja.«

»Und du hast mir gesagt, es wär ein Kinderspiel!«, zischte Stewart. »Sag jetzt bloß nicht, du hast Sam und Eddie losgeschickt.«

»Don Empson.«

»Der Mann hat seine besten Tage gesehen.«

»Dad hat ihn immer gemocht.«

»Dad ist Vergangenheit, George. Das *Ganze* ist Vergangenheit.« Stewart fuhr sich mit den Fingern durch das Haar und versuchte nachzudenken. Er war groß und schmal und hatte nicht die geringste Ähnlichkeit mit George. Er hatte sich deswegen schon mehrfach gefragt, ob ihre Mum vielleicht eine Affäre gehabt hatte. George sah ihrem Dad ähnlich, aber Stewart nicht. Bisschen spät, um da noch was zu unternehmen, aber trotzdem … Es hätte das eine oder andere erklärt.

»Also, was hast du vor?«

»Die Krankenhäuser abchecken. Der Typ ist mit Dons Karre abgehauen, also suchen wir auch nach der. Aber kannst du mit Hanley reden, rausfinden, wie es ihm geht?«

»Ich red mit ihm. Aber denk dran, es ist *mein* Geld, George. Jemand wird dafür blechen müssen.«

»Okay, Stewart. Wie sieht's heute Abend im Klub aus?«

»Tote Hose.«

»Wird schon noch.«

Stewart hätte seinen Bruder am liebsten geohrfeigt, ihm in die weiche, fette Visage geschlagen. Aber das würde er nicht tun. Er war inzwischen ein anständiger Geschäftsmann. Er musste von allem, was zu seiner Vergangenheit gehörte, Abstand nehmen.

Er musste sauber bleiben.

Er beendete das Gespräch und rammte den Kopf ein paarmal gegen die nächstgelegene Wand. Was jetzt – Hanley anrufen oder bei ihm vorbeifahren? Wie konnte er bei ihm vorbeifahren, wenn sein Fahrer noch gar nicht zum Dienst angetreten war? Und außerdem hatte er Georges Jungs die Sache überlassen, damit er direkten Kontakt mit Hanley vermeiden konnte.

Auf die Art war es sauberer.

»Wenn man nicht alles selber macht …«, murmelte

er in sich hinein. Er ging in das Hauptbüro und fragte, ob jemand Benjy Flowers gesehen hatte. Allgemeines Achselzucken und Kopfschütteln.

»Ebenso unbrauchbar wie sein verdammter Onkel Don.« Dann, an alle gewandt: »Sobald er sich blicken lässt, soll er zu mir kommen.« Noch während er den Raum verließ, holte Stewart sein Handy aus der Tasche.

Im Haus des Stadtrats Andrew Hanley

Andrew Hanley war wieder zu Hause und saß, ein Glas Whisky in der Hand, bei ausgeschaltetem Licht in seinem Arbeitszimmer in einem Sessel. Er zitterte noch immer. Seine Frau war im Erdgeschoss. Als er heimgekommen war, hatte sie ihm aus der Küche einen Gruß zugerufen. Er hatte zurückgegrüßt, war dann aber die Treppe hinaufgestiegen, in sein Arbeitszimmer gegangen und hatte die Tür hinter sich zugemacht. Wenn die Tür geschlossen war, kam seine Frau nicht herein. Es bedeutete nämlich üblicherweise, dass er arbeitete. Das einzige Licht kam von der Straßenlaterne direkt vor dem Fenster. Er konnte seinen Schreibtisch sehen, der mit Papieren bedeckt war. Sein Diplom hing gerahmt an der Wand. Ebenso Fotos von ihm mit allerlei Prominenz aus Sport, Fernsehen und Wirtschaft. Als Kommunalpolitiker lernte man jede Menge Leute kennen.

Jetzt wünschte er allerdings, er hätte zumindest Stewart Renshaw niemals kennengelernt.

Anfangs war es alles ganz freundlich und locker zugegangen. Er hatte eine Einladung zum Abendessen in einem von Stewarts Kasinos angenommen und sich ein paar Jetons schenken lassen. Dann kam ein weiterer Besuch, und weitere Jetons. Das Etablissement wirkte sehr ordentlich. Weit und breit keine Gangster und Ganoven. Es war ein seriöser Betrieb. Nun gut, Stewart war Albert Renshaws Sohn, und Alberts Spitzname war »der Pate« gewesen. Aber Stewart hatte sich von all dem losgesagt. Seinen kleinen Bruder George sah er überhaupt nie; sprach lediglich zweimal im Jahr mit ihm. Stewart war sauber – oder hatte anfangs zumindest so gewirkt.

Er hatte einen Tag auf der Pferderennbahn verbracht, wieder als Stewarts Gast. »Bringen Sie Ihre Frau mit«, hatte es geheißen. Aber er hatte gelogen und behauptet, sie habe keine Zeit. Er wollte das Abenteuer ganz allein genießen. Er hatte gutaussehende Frauen kennengelernt. Und freundliche einflussreiche, Männer. Er hatte sich amüsiert. Einmal hatte man ihm Drogen angeboten, eine Prise Kokain auf der Toilette, aber er hatte dankend abgelehnt. Champagner reichte ihm vollauf.

Damals schien das alles genügt zu haben.

Sein Handy fing an zu vibrieren. Er zog es aus der Tasche und schaute auf das Display. Es war Stewart. Hanley beschloss, nicht dranzugehen. Was hätte er dem Mann schon sagen können? Ihm war kurz der Verdacht gekommen, das Ganze könnte eine abgekartete Sache gewesen sein, eine inszenierte Show mit dem alleinigen Zweck, ihn um sein Geld zu betrügen. Aber die Waffen und das Blut hatten echt gewirkt. Die Angst und die Wut hatten echt gewirkt. Keine bloßen Special Effects, sondern Blut und Rauch und die Mündungsfeuer der zwei Pistolen. Und wie es geknallt hatte! Dreimal. Er war zu seinem Auto gerannt und hatte beim Zurücksetzen ein anderes Fahrzeug gerammt. Er war von einem Tatort, vom Schauplatz eines Mordes, geflohen. Er: Councillor Andrew Hanley. Leiter des Bauamts. Und jetzt das …

Nein, er würde nicht abnehmen. Er würde nicht mit Stewart Renshaw reden. Er würde seinen Whisky trinken und weiter die Wand anstarren. Seine Frau rief etwas vom Fuß der Treppe hinauf.

»Andrew?«

Er gab keine Antwort.

»Andrew?«

Aber das hätte sie argwöhnisch machen können.

»Andrew?«

»Was ist?«

»Deine Schuhe.« Ja, seine Schuhe, er hatte sie direkt an der Haustür ausgezogen. Das war eine von Lornas Regeln: keine Schuhe im Haus.

»Was ist damit?«

»Bist du in irgendwas reingetreten? Irgendwas Rotes?«

Etwas Rotes! Natürlich, etwas Rotes! Blut, Blut, Blut!

»Das ist Farbe«, rief er ihr durch die Tür zu. »Ist alles bloß Farbe.«

»Soll ich versuchen, sie abzubekommen?«

»Nein, das mach ich schon selbst. Ich kümmer mich später drum.«

Schweigen vom Fuß der Treppe. Dann: »Möchtest du etwas essen?«

»Ich will nur meine Ruhe haben! Ist das zu viel verlangt?«

Diesmal hielt das Schweigen an. Hanley versuchte, das Glas mit dem Rest Whisky an seine Lippen zu führen, aber seine Hand zitterte zu sehr.

SECHSTES KAPITEL

Don Empson ist noch immer auf der Jagd

Sam lenkte. Eddie saß auf dem Beifahrersitz. Don saß im Fond und sagte nicht viel. Er hatte erklärt, dass er sich Raymonds Autowerkstatt ansehen wollte. Nicht von *innen* – nur im Vorbeifahren. Als sie in die enge Seitengasse einbogen, räusperte sich Eddie und sagte nur ein Wort.

»Bullen.«

Drei Streifenwagen hatten eine Straßensperre gebildet. Polizeiband wurde zwischen Laternenmasten gespannt. Mehrere Männer stiegen gerade aus zwei parkenden weißen Transportern aus. Sie trugen Overalls und Schutzmasken. Die Spurensicherung. Ein Uniformierter machte Signale mit der Hand. Sam nickte und wendete.

»Was machen wir jetzt?«, fragte er.

»Fahren wir ein paar Seitenstraßen ab«, antwortete Don.

»Was ist da los bei Raymond?«, fragte Eddie.

»Jemand hat ihn erschossen«, erklärte Don. Eddie stieß einen Pfiff aus, sagte aber nichts. Sam sah Don im Rückspiegel an, sagte aber ebenfalls nichts. Schweigend fuhren sie die eine Straße hoch und eine andere wieder runter. Werkstätten und Büros, dann ein paar Wohnblocks mit Geschäften im Erdgeschoss. Es war niemand unterwegs, aber Don wusste, dass schon bald Polizisten an Türen klopfen und ihre Fragen abspulen würden. Es waren Schüsse zu hören gewesen. Jemand hatte den Notruf gewählt. Er erinnerte sich, dass er noch etwas anderes zu erledigen hatte. Könnte ein guter Zeitpunkt sein, jetzt, mitten in der Nacht. Aber zunächst musste er die Augen aufhalten. Er suchte nach einem Auto, einem grünen Sportwagen. Benjys Auto. Und schließlich sah er es. Es parkte zwei Querstraßen von der Werkstatt entfernt. Direkt daneben stand ein halb voller Schuttcontainer. Don brachte es fertig, kein allzu interessiertes Gesicht zu machen. Sam und Eddie brauchten nicht mehr zu wissen, als unbedingt nötig war.

Benjys Plan: sich das Geld schnappen und zum Wagen zurücklaufen.

War nicht ganz aufgegangen, der Plan.

Don wusste, dass die Polizei den Wagen früher oder später entdecken würde. Oder aber jemand würde sie darauf aufmerksam machen. Eine kurze Überprüfung würde sie auf den Namen Benjamin Flowers bringen. Sie würden Benjys Mutter, Dons Schwester, fragen, was Benjy beruflich machte, und sie würde es ihnen sagen. *Er arbeitet für Stewart Renshaw.* Stewart, Georges Bruder. Und dann würde George von der Sache erfahren, und er würde Don die Schuld an allem geben. Er hatte Benjy den Job nur gegeben, um Don einen Gefallen zu tun. Jemand würde dafür zahlen müssen.

Don würde zahlen müssen.

Er hatte ein Wechselbad der Gefühle durchlebt. Wut auf Benjy, dann Trauer, schließlich hatte er die Sache akzeptiert. Scheiße passierte eben, man konnte nur versuchen, das Beste draus zu machen. Momentan allerdings hatte er keine Ahnung, was das Beste gewesen wäre.

Als Sam rechts abbog, beugte sich Don vor und nannte ihm ein neues Ziel: Merchant Crescent.

»Ich muss mit jemandem ein paar Takte reden«, fügte er hinzu. »Dreimal dürft ihr raten, wie sie heißt.«

Sam war der Erste, bei dem der Groschen fiel. »Celine Watts?«

»Volltreffer.«

»Polieren wir ihr die Fresse?«, fragte Eddie.

»Meinst du, das wär gescheit?«, gab Don bissig zurück. »Und außerdem haltet *ihr* schön Abstand von ihr. Wie gesagt, ich werde in aller Ruhe ein paar Takte mit ihr reden, das ist alles. Mal schauen, ob ich sie davon überzeugen kann, dass sie ihre Aussage besser ändern sollte.«

Sam sah ihn wieder im Rückspiegel an. »Danke, Mr. Empson«, sagte er.

»Danken solltet ihr Gorgeous George.«

Sam nickte langsam. Er wusste, worum es ging. Er und Eddie waren auf einem Parkplatz am Stadtrand, in der Nähe eines Waldes gesehen worden. Es war noch ein dritter Mann bei ihnen im Wagen gewesen, und laut Aussage der Zeugin hatte er geweint. Die Zeugin war Celine Watts. Der weinende Mann war ein kleiner Dealer, der schon einmal verwarnt worden war. Seine Leiche war im Wald, in einem zu flachen Grab, aufgefunden worden.

Womit Gorgeous George drei Optionen verblieben. Erstens, Sam und Eddie den Bullen zu überlassen. Zweitens, sie aus dem Schlamassel zu holen. Drittens, sie umzulegen.

Vorerst versuchte er es mit der zweiten Option.

Auf den Straßen war kaum was los. Sie brauchten für die Strecke lediglich eine halbe Stunde. Eddie hielt am Bordstein, und Don öffnete seine Tür.

»Brauchen Sie uns?«, fragte Eddie.

»Eher geb ich mir die Kugel.« Don streifte sich

schwarze Lederhandschuhe über und ging auf die Haustür zu. Dort angelangt, sah er, dass sie einen Spaltbreit offen stand. Innen brannte Licht. Er drückte die Tür vollends auf und trat in den engen Flur. Die erste Tür führte ins Wohnzimmer. Es lief Musik, und es roch nach Rauch. Auf dem Sofa lag eine barfüßige Frau. Sie wackelte mit den Zehen im Takt der Musik. Auf dem Fußboden stand eine leere Limo-Flasche, daneben eine Flasche Wodka. Die Frau schnippte die Asche ihrer Zigarette in ihre offene Hand.

Es war nicht Celine Watts.

»Sie sind nicht Celine«, sagte er.

Sie schien keineswegs erstaunt über sein Erscheinen. Ihre Augen waren glasig. Sie pustete ihm etwas Rauch entgegen.

»Ich bin ihre Kusine«, erklärte sie. »Sie sollte eigentlich hier auf dem Sofa schlafen.« Die Frau hatte einen aufgerollten Schlafsack unter dem Kopf. »Nur ist sie leider abgehauen. Hat nicht mal die Haustür hinter sich zugemacht. Zum Glück hat keiner meine Anlage geklaut.«

»Vielleicht hat die Polizei sie geholt«, sagte Don.

»Sind *Sie* nicht von der Polizei?« Sie sah ihn an, bis er den Kopf schüttelte, und konzentrierte sich dann wieder auf ihre Zigarette. »Ein Nachbar hat gesehen, wie sie in einem protzigen Schlitten weggefahren ist. So ein schwarzes, blitzblankes Teil. Sah nach 'nem Dienstwagen aus.«

»Und der Fahrer?«

Die Frau zuckte die Achseln. Dons BMW, der, den Benjy genommen hatte, *war* schwarz. Und manche Leute hätten ihn als protzig bezeichnet. Es war ein 7er.

Und im Handschuhfach lag ein Zettel mit dieser Adresse.

War Benjy hergekommen, um Celine Watts zu warnen? Unwahrscheinlich, bei dem Zustand, in dem er sich vermutlich befand. Und außerdem hatten die Kids auf der Straße gesagt, dass es dieser Gravy gewesen war. Gravy, der beim Anblick des blutüberströmten Benjy in Panik geraten war. Gravy, der die Adresse gefunden und angenommen hatte, es sei so etwas wie ein sicheres Versteck. Und stattdessen Celine Watts gefunden hatte.

Gravy mit Dons Wagen. Mit Celine Watts. Mit Stewarts Geld.

»Wo würde sie hinfahren?«, fragte er die Kusine. Ihr fielen allmählich die Augen zu.

»Möglichst weit weg von hier, wenn sie auch nur ein bisschen Grips hat.«

Don wusste, dass er seinen Freund bei der Polizei noch einmal anrufen und bitten musste, die Fahndung auszuweiten. »Hat sie ihre Sachen mitgenommen?«, fragte er die Kusine. Sie schüttelte den Kopf.

»*Gar* nichts hat sie mitgenommen. Tasche, Geldbeutel, Handy, Zahnbürste, ist alles noch hier. Sogar der Wodka, den ich grad trinke, ist ihrer.« Als sie nach ihrem Glas griff, fiel ihr das Häufchen Asche aus der Hand.

»Cheers«, sagte sie. Dann verlor sie das Gleichgewicht, purzelte vom Sofa und landete lachend auf dem Fußboden. Ohne sich um sie zu kümmern, öffnete Don die Umhängetasche, die auf dem Couchtisch lag. Darin befanden sich Celine Watts' Geldbeutel, Aspirin, Papiertaschentücher und ein Handy. Warum hatte sie nichts mitgenommen? Weil sie Angst gehabt hatte. Und außerdem hatte sie alles, was sie brauchte, im Auto … einen Fahrer und einen ordentlichen Haufen Geld.

Die Kusine schmunzelte noch immer mit geschlossenen Augen vor sich hin. Wenn er sie zusammengeschlagen hätte, wäre es eine unmissverständliche Botschaft an Celine Watts gewesen. Die Art von Botschaft, für die Gorgeous George ihm dankbar gewesen wäre.

Trotzdem brachte Don es nicht übers Herz. Er steckte Celines Brieftasche und das Handy ein und ging zum Auto zurück.

SIEBTES KAPITEL

Die Ermittlerin

Jane Harris war erst seit drei Wochen Detective Inspector, und schon stand sie in einer Autowerkstatt inmitten von Blutlachen.

Blutla*chen,* Mehrzahl.

Das Opfer hieß Raymond Masters. Ihm gehörte die Werkstatt. Er verdiente sich sein Geld damit, dass er Autos reinigte; zumindest hatte er das bis vor vier Stunden getan. So lange hatte die Polizei nämlich gebraucht, um den Schauplatz der Schießerei ausfindig zu machen. Der Tote hatte eine Schusswaffe in der Hand gehabt, und sie war kurz vorher abgefeuert worden. Es war aber kein Selbstmord gewesen. Masters hatte zwei Schüsse abgegeben. Eine Kugel hatte man schon gefunden, in der Wand links von der Tür. Die andere hatte einem weiteren Menschen erheblichen Schaden zugefügt – jedenfalls den Blutflecken nach zu urteilen. Davon gab es eine ganze Menge. Masters war am Kopf getroffen worden. Man hätte am Boden oder an der Wand also eigentlich einen großen Fleck Blut und Gehirnmasse vorfinden müssen, aber offensichtlich hatten hier Autos gestanden. Den Reifenspuren nach zu urteilen, wahrscheinlich zwei.

Jane Harris hatte einen ihrer Mitarbeiter gebeten, sich in Masters' Büro umzuschauen. Er musste einen Terminkalender haben. Sie wollte wissen, welchen oder welche Wagen er gerade in Arbeit gehabt hatte. Vielleicht war jemand auf die scharf gewesen. Schließlich wurden dauernd Autos gestohlen. Aber Autodiebe gingen normalerweise ohne Schusswaffen vor. Und warum hatte der Werkstattbesitzer überhaupt eine Waffe gehabt?

Ihr Kollege Bob Sanders hatte eine andere Theorie. Bob war schon fast so lange bei der Truppe wie Jane auf der Welt war. Sie glaubte ihm, als er den Namen George Renshaw erwähnte.

»Erklären Sie«, sagte sie lediglich und verschränkte die Arme.

»Raymond mag in letzter Zeit sauber ausgesehen haben, aber früher war er ein ziemlich schwerer Junge. Gehörte zu Albert Renshaws Leuten. Albert war Georges Vater. Raymond hat eine Zeitlang gesessen. Wie man hört, war er bis zuletzt gut Freund mit Gorgeous George, und ich kann mir schon vorstellen, dass er gelegentlich nützlich sein konnte … gab bestimmt immer wieder Fälle, wo George ein Auto in die Reinigung geben musste.«

»Ich dachte, Problemfälle würde er auf seinem Schrottplatz entsorgen.«

»Möglicherweise.«

Bob ließ sie mit ihren Gedanken allein. Er wusste, dass sie über die Sache nachdenken würde. Der Verletzte … Er musste irgendwo aufgefallen sein. Bei einem Arzt oder in einem Krankenhaus. In einem durchgehend geöffneten Supermarkt, in dem er sich Kompressen und Verbandszeug gekauft haben konnte. Irgendjemand musste ihn gesehen haben. Oder er konnte noch irgendwo in der Nähe sein, sich verstecken und abwarten. Vielleicht in einem Garten oder in einer Wohnung. Er konnte sich irgendwo gewaltsam Zutritt verschafft haben. Jane wusste, dass die ersten paar Stunden entscheidend waren, wusste, dass die Spur danach kalt zu werden begann. Sie brauchte Beamte für eine Tür-zu-Tür-Befragung. Sie brauchte wenigstens ein paar Spürhunde.

Ein Mitarbeiter der Spurensicherung fotografierte gerade eine Reihe von Fußabdrücken. Die Abdrücke waren blutig. Sie wurden undeutlicher, je weiter sie sich der Werkstatttür näherten. Stammten sie von dem Verletzten? Nein, denn der hatte vier Meter weiter weg gestanden. Aber auch die Blutspur hörte plötzlich auf. Sie führte ganz eindeutig nicht nach draußen. Also ein Mann, der nach draußen gegangen war, ein zweiter, der ein Auto genommen hatte. Waren sie Komplizen gewesen? Oder war einer ein unbeteiligter Zuschauer?

»Könnte letzten Endes doch ein Autodiebstahl gewesen sein«, sagte ein anderer Detective, der aus dem Büro herauskam. »Heute Nachmittag war ein großer Bentley zur Rundumreinigung angemeldet. So einer kostet ab hundert Riesen aufwärts. Die Nummer des Halters steht im Terminkalender. Ich hab grad mit ihm gesprochen. Er wollte den Wagen morgen früh abholen.«

»Geben sie eine Suchmeldung raus«, sagte Jane. »Sorgen Sie dafür, dass jeder das Kennzeichen weiß. Eine Schachtel Pralinen für den Ersten, der den Schlitten sichtet.«

»Plus Umarmung und Küsschen von Ihnen, Jane?«, witzelte Bob.

»Es sei denn, Sie sind der Gewinner«, erwiderte sie. Ein weiterer Beamter war von draußen hereingekommen.

»Abgestellter Wagen mit frischem Blechschaden. Vielleicht das Fluchtfahrzeug.«

»Die Spurensicherung soll ihn sich vornehmen«, sagte Jane.

Eine Stunde später fuhr sie zurück ins Hauptquartier. Ihr Chef war aus dem Bett geklingelt worden und würde ebenfalls bald auf der Wache sein. Er würde einen Bericht wollen. Sie würde um zusätzliche Beamte bitten. Er würde anfangen zu rechnen. Alles kostete Geld, und selbst für Mord gab es ein Budget. Jane stand gerade in einer freien Parkbucht, als ein Polizeitransporter vorfuhr. Drinnen hörte man Leute singen. Wahrscheinlich Betrunkene auf dem Weg in die Ausnüchterungszelle. Sie drückte die Tür der Polizeiwache auf und trat ein. Der wachhabende Sergeant nickte und winkte ihr zu.

»Viel los?«, vermutete er.

»Sie haben von der Schießerei gehört?«

Er nickte. »Ich fand's ehrlich gesagt komisch …«

Sie starrte ihn an. »Komisch?«

»Ich meine merkwürdig. Sie wissen, dass Ray Masters Verbindungen zu George Renshaw hatte?«

»Bob hat's mir grad gesagt.«

Der Wachhabende lächelte. »Tja, Bob weiß alles, nicht?«

»Sie meinen: und ich nicht?«

»Dafür lernen Sie schnell, Ma'am. Also Testfrage: Wer ist Don Empson?«

Sie trat näher an ihn heran. »Keine Ahnung«, gestand sie.

»Wir hatten ihn erst vor ein paar Stunden hier. Ein Streifenwagen hat ihn auf einem Friedhof aufgelesen. Er hat den Kollegen eine Story aufgetischt, und wir mussten ihn wieder laufenlassen.«

»Und, wer ist er also?«, fragte Jane.

»Tja, George Renshaws rechte Hand, das ist er ...«

Jane auf dem Friedhof

Sobald es hell wurde, fuhr Jane zum Friedhof. Das Tor war aufgesprengt worden. Eine Kette und ein Vorhängeschloss lagen bei einem der Flügel auf dem Boden. Der Wagen stand nicht weit entfernt von einer Gärtnerhütte. Empson hatte gesagt, er gehöre nicht ihm. Na schön. Wenn er die Wahrheit sagte, würde man im Wageninneren auch keine Fingerabdrücke von ihm finden. Jane hatte von den Beamten, die Empson aufgegriffen hatten, die Zulassungsnummer bekommen. Der Computer hatte Namen und Adresse des letzten Halters ausgespuckt, aber der Mann hatte den Wagen inzwischen an einen Autoverwerter verkauft.

An einen gewissen George Renshaw. Also, wenn *das* kein Zufall war ...

Viel taugte die Karre wirklich nicht mehr. Das

Einzige, was sie noch zusammenhielt, war der Lack. Jane drückte mit dem Finger gegen eine große rostige Stelle, und der Finger kam auf der anderen Seite wieder heraus. Sie wischte ihn sauber und machte sich zu einem Rundgang über den Friedhof auf. Das Gras war feucht von Tau. Vögel sangen. Die Wolken am Himmel waren an den Fingern einer Hand abzuzählen. Sie sah auf die Uhr. Sie hatte jemanden von der Stadtverwaltung aus dem Bett geklingelt und ihn gefragt, wer für den Friedhof zuständig war. Der Betreffende würde sich dort mit ihr treffen. Mittlerweile hätte er da sein müssen.

Sie schlenderte weiter. Hinter einer Hecke entdeckte sie einen Komposthaufen. Daneben standen ein kleiner Bagger und eine Schubkarre, in der eine Harke lag. An der Schubkarre waren Flecken zu sehen; diesmal sahen sie nicht nach Rost, sondern eher wie Blut aus. Jane machte sich im Kopf eine Notiz: Spurensicherung herbeordern. Dann konnten sich die Jungs gleich das Auto mit vornehmen. Vielleicht würden sie auch da Blut finden. Als sie ihren Rundgang fortsetzte, sah sie, dass der Rasen weiter hinten, in Richtung Eingangstor, dunkel gesprenkelt war. Sie ging in die Hocke. Wieder sah es nach Blut aus. Jemand hatte hier eine Spur von Blutstropfen hinterlassen. Ein Verwundeter.

Sie ging, diesmal aufmerksamer, denselben Weg wieder zurück. Sie suchte nach Spuren. Sie suchte nach etwas wie einem frischen Grab. Ein Spürhund wäre vielleicht von Nutzen gewesen …

Dann sah sie den Mann, der am Tor stand. Er untersuchte kopfschüttelnd die aufgesprengten Flügel. Er sah sie und kam ihr, die Hände in den Taschen, entgegen. Er trug eine Schultertasche. Vielleicht enthielt sie seine Arbeitskleidung und Mittagsbrote. Jane stellte sich vor.

»Paul Mason«, sagte er und gab ihr die Hand. »Handelt es sich um ein gestohlenes Auto? Jugendliche, die eine Spritztour machen wollten?«

»Genaugenommen ein Endfünfziger. Zumindest nehmen wir das an. Darf ich einen Blick in Ihren Schuppen werfen?«

Mason nickte und ging voraus. Er schloss den Schuppen auf und öffnete die Tür.

»Es fehlt nichts«, sagte er.

»Um wie viel Uhr haben Sie gestern Feierabend gemacht, Mr. Mason?«

»So wie immer. Um fünf.«

»Arbeiten Sie hier allein?«

»Ich hab einen Assistenten. Ich nenne ihn Gravy.«

»Gravy?«

»Kurz für *graveyard*. Er hing ständig hier rum. Ich

hab noch nie jemanden gesehen, der sich so über ein Jobangebot gefreut hat wie er.«

»War er noch hier, als Sie gegangen sind?«

Wieder nickte Mason. »Es ist seine Aufgabe, hier aufzuräumen und das Tor abzuschließen.«

»Um wie viel Uhr macht er normalerweise Feierabend?«

Mason lachte. »Der wäre rund um die Uhr hier, wenn man ihn ließe. Gravy wohnt in einem Heim. Manchmal müssen die herkommen und ihn holen. Er scheint überhaupt kein Zeitgefühl zu haben …« Mason schwieg kurz. »Er steckt doch nicht etwa in Schwierigkeiten?«

»Ich muss mich mit ihm unterhalten. Können Sie mir seine Adresse geben?«

»Er dürfte in spätestens einer Stunde hier sein. Er kann's morgens gar nicht erwarten, hier anzufangen.«

»Trotzdem brauche ich seine Adresse.«

Die fand sich, samt einer Telefonnummer, in einer Aktenmappe in der Hütte. Jane tippte die Nummer in ihr Handy. Es dauerte eine ganze Weile, bevor jemand abnahm. Jetzt wurde ihr bewusst, dass sie Gravys richtigen Namen gar nicht kannte.

»Könnte ich bitte Gravy sprechen?«, fragte sie.

Der verschlafen klingende Mann legte den Hörer hin, war aber schon dreißig Sekunden später wieder da. »Sein Bett ist unberührt«, sagte er und legte auf.

Jane starrte ihr Handy an. Mason fragte, ob alles in Ordnung sei.

»Mir geht's bestens«, versicherte sie ihm.

Ob das auch auf Gravy zutraf, war sie sich allerdings weniger sicher.

»Wie lautet sein richtiger Name?«, fragte sie Mason.

»Jimmy Gray. Gray und Gravy klingen gar nicht mal so verschieden, wenn man's recht bedenkt.«

»Er ist gestern Abend nicht nach Haus gekommen.« Sie sah ihm forschend ins Gesicht, aber Masons einzige Reaktion bestand darin, die Lippen zu einem O zu formen.

»Kennen Sie einen Mann namens Donald Empson?«, fragte sie. Mason schüttelte den Kopf. »Und wie steht's mit George Renshaw?«

»Den kennt jeder, jedenfalls vom Hörensagen.«

Sie nickte und schlenderte zurück zum Auto. Es gehörte nicht Empson, warum war er also damit gefahren? Und was für ein Auto fuhr er normalerweise? Jane schätzte, dass es an der Zeit sei, mit Mr. Donald Empson ein paar Takte zu reden.

Als sie allerdings zu seiner Adresse fuhr, war niemand da, und die Vorhänge sahen so aus, als seien sie am vorigen Abend nicht zugezogen worden. Ein Auto war nicht zu sehen. Es war ein schönes, modernes freistehendes Haus. Erste Familienväter in Schlips und Anzug erschienen auf der Straße auf dem Weg zur Arbeit. Sie fragten sich bestimmt, was sie da eigentlich machte, aber sie behielten ihre Neugier für sich. Jane stieg wieder in ihr Auto ein und steuerte ihr nächstes Ziel an: Renshaws Schrottplatz.

Jane auf dem Schrottplatz

Als sie ankam, lieferte ein Sattelzug gerade zwei Autos an. Unfallautos – zerknautschte Motorhaube, zerknüllter Kühlergrill, zersplitterte Windschutzscheibe. Sie war schon an vielen Unfallstellen gewesen. Das war einer der übelsten Aspekte ihres Jobs. Sie fröstelte leicht, als sie dem Laster auf den Schrottplatz folgte. Irgendwo in der Nähe bellten zwei Hunde, ließen sich aber nicht blicken. Zu sehen waren lediglich ausgeweidete Autos. Dann kam aber aus einem der Gebäude ein Mann heraus. Er kaute an einer Zigarre. Als er sich dem Auto näherte, machte er eine finstere Miene. Er hatte einen kahlrasierten Schädel und Goldringe an den Fingern. Jane stieg aus.

»Bullenfleisch rieche ich auf eine Meile gegen den Wind«, knurrte er.

»Sie müssen Mr. Renshaw sein.«

»Ich hab Sie noch nie gesehen.«

»Ich bin DI Harris.«

»Bisschen jung.« Er musterte sie von oben bis unten. Inzwischen war ein weiterer Mann aus demselben Gebäude herausgekommen. Er trug zerrissene Jeans und ein rotes Tartanhemd. Während er sich auf den Weg zu einem Kran machte, bedachte er Jane mit einem leisen Pfiff.

»Ich würde gern Donald Empson sprechen«, erklärte sie Renshaw.

»Der ist nicht hier.«

»Wissen Sie, wo ich ihn finden könnte?«

»Vielleicht bei sich zu Hause.«

»Von dort komme ich gerade.«

Jane starrte ihn die ganze Zeit an. Der Spitzname »Gorgeous« war offensichtlich ein Witz. Renshaw war einer der hässlichsten Typen, die sie je aus der Nähe gesehen hatte.

»Worum geht's überhaupt?«, fragte er. Er hatte die Zigarre in einen Mundwinkel befördert und biss jetzt fest darauf.

»Nur ein paar Routinefragen.«

Renshaw verdrehte die Augen. Wie oft hatte er

diesen Spruch schon gehört? Der Motor des Krans setzte sich hustend in Betrieb.

»Erwarten Sie ihn im Laufe des Tages?«, schrie Jane gegen den Lärm an.

Renshaw zuckte lediglich die Schultern.

»Dürfte ich Sie fragen, was für einen Wagen er fährt?«

»Ist das nicht die Sorte Frage, die Ihnen Ihre Computer beantworten können?«

»Geht schneller, wenn ich Sie frage.«

»Das glauben *Sie*.« Renshaw grinste. Jane spürte, wie ihr Handy in ihrer Tasche vibrierte. Sie holte es heraus und hielt es sich ans Ohr, während sie sich in das andere einen Finger steckte, um trotz des Lärms etwas zu verstehen. Es war Bob.

»Neuigkeiten«, sagte er.

»Schießen Sie los.«

»Die Klinkenputzer hatten Glück. Wie sie mit einem der Nachbarn redeten, hat er gefragt, ob sie nicht was wegen des Wagens unternehmen könnten, der seinen Schuttcontainer blockiert. Heute Vormittag kommt ein Laster vorbei, und er braucht Platz, um den Container aufladen zu können.«

»So weit kann ich Ihnen folgen.« Jane hatte sich von Renshaw abgewandt, um sich auf das Telefonat konzentrieren zu können.

»Also, dem Nachbarn kommt das Auto nicht bekannt vor. Es ist knallgrün, irgendein Sportmodell. Es ist ordnungsgemäß geparkt, und normalerweise würden wir uns nicht weiter darum kümmern, aber das Team vor Ort war überdurchschnittlich clever. Die Jungs haben das Kennzeichen überprüft. Der Schlitten gehört Mr. Benjamin Flowers.«

»Erzählen Sie mir jetzt nicht, dass Sie ihn kennen!«

»Ich bin besser als jeder Computer, Jane, und ich freue mich schon auf die Schachtel Pralinen. Mit Cremefüllung, bitte.«

»Ich bin schon auf dem Weg zur Konditorei, Sie müssen mir nur noch verraten, wer er ist.«

»Bekannt ist er als Benjy. Er ist Don Empsons Neffe. Und er arbeitet für Stewart Renshaw. Und jetzt raten Sie wessen Bruder *der* ist …«

Jane hob die Augen zum Himmel. Es war schwer, das alles zu verarbeiten. Sie sah, dass George Renshaw ebenfalls nach oben schaute. Vom Dreharm des Krans baumelte ein riesiger Magnet. Daran hing ein großes Auto. Und obwohl sie nicht viel mehr als dessen Unterseite und Räder sehen konnte, meinte sie, das Fabrikat zu erkennen. Ohne sich um Renshaw zu kümmern, das Handy noch immer am Ohr, marschierte sie auf den Kran zu.

»Anhalten!«, schrie sie.

Der Kranführer ignorierte sie. Sie steckte ihr Handy wieder in die Tasche und zückte ihren Dienstausweis, den sie aufklappte und vor dem Kran in die Höhe hielt.

»Ich befehle Ihnen, den Kran anzuhalten!«, schrie sie. Dann, zu Renshaw gewandt: »Sagen *Sie* es ihm!«

Nach kurzem Zögern winkte Renshaw. Der Kranführer sah seine Geste und stoppte den Dreharm. Jane hatte sich gerade wieder Renshaw zugewandt, als hinter ihr eine Bombe hochging. Das Auto war keine anderthalb Meter von ihr entfernt zu Boden gekracht. Staub und Steine wirbelten in die Luft. Die Fenster des Autos explodierten. Seine Reifen platzten beim Aufprall. Ihre Augen loderten, als sie zum Kranführer hinaufstarrte.

»Ich dachte, das war's, was Sie wollten!«, schrie er.

Als sie ihr Handy wieder hervorholte, zitterte ihre Hand leicht. Sie hatte das Gespräch nicht beendet, und Bob wollte wissen, was das für ein Krach gewesen sei. »Ich brauche ein Team von der Spurensicherung auf Renshaws Schrottplatz«, erwiderte sie, während sie das umrundete, was vom Wagen übrig geblieben war. Was eigentlich gar nicht so wenig war. Bentleys wurden auf Haltbarkeit gebaut. Sie stellte zu ihrer Erleichterung fest, dass sie die Marke korrekt identifiziert hatte. Und jetzt konnte sie auch sehen, dass das amtliche Kennzeichen mit demjenigen des Autos übereinstimmte, das aus der Servicewerkstatt des Ermordeten, Raymond Masters, entwendet worden war. Sie fragte sich, wessen Fingerabdrücke man im Wageninneren wohl finden würde. Sie fragte sich, was man da sonst noch finden würde. Sehen konnte sie zwar nichts, aber es gab ja immer noch den Kofferraum …

»Ich fasse also zusammen«, sagte Bob inzwischen: »Ein Team von der Spurensicherung ist noch immer in der Werkstatt zugange, ein zweites soll zum Friedhof und ein drittes zum Schrottplatz. Sie sind nicht gerade bescheiden, Jane.«

»Und wenn Sie schon mal dabei sind, wie wär's, wenn Sie rauskriegen würden, wo Mr. Flowers sich momentan aufhält?«

»Wäre damit mein Tagespensum abgehakt?«

Jane gab keine Antwort. Ihr ging gerade auf, dass Renshaw wieder in seinem Bürocontainer verschwunden war. Sie folgte ihm und gelangte in einen einzigen, chaotischen Raum, an dessen hinterem Ende eine weitere Tür war. Die Tür stand offen. Sie führte hinaus auf den Schrottplatz. Als sie über die Schwelle trat, fingen zwei Wachhunde an zu knurren und an ihren Leinen zu zerren. Als ihr Herrchen vorbeigegangen war, hatten sie nicht angeschlagen. Dazu kannten sie ihn zu gut.

George Renshaw war verschwunden.

Jane stieß einen lautlosen Fluch aus und begann, den Schrottplatz abzusuchen. Renshaw hätte sich hier überall verstecken können, aber sie vermutete, dass er nicht so dumm sein würde. Andererseits war er zu Fuß, also hätte sie ihm leicht im Auto folgen können. Aber sie konnte hier nicht weg. Am Ende hätte sich der Bentley genauso in Luft aufgelöst wie Renshaw. Außerdem könnten Fingerabdrücke abgewischt, Beweisstücke entfernt werden. Sie rief Bob noch einmal an.

»Donald Empsons Wagen«, sagte sie. »Ich brauche alle Daten.«

»Einen Moment, ich fang eine neue Aufgabenliste an …« Sie hörte, wie Bob seufzte, während er sich eine Notiz machte. »Wäre das alles?«

»Nicht ganz. George Renshaw ist mir gerade entwischt.«

»Ich geb die Meldung raus. Ich hab den Eindruck, wir könnten noch ein paar Helfer gebrauchen.«

»Ich werd's dem Chef sagen.«

»Sie glauben, Gorgeous George hat Raymond umlegen lassen?«

»Das frag ich mich so langsam selbst.«

»Und zu dem Zweck Don Empson die Knarre in die Hand gedrückt? Oder vielleicht dem Neffen?«

Jane gab keine Antwort. Sie hatte durch ein geborstenes Seitenfenster gegriffen und den Zündschlüssel des Bentley herausgezogen. Sie ging zum Heck des Wagens und atmete einmal tief durch, bevor sie den Kofferraum öffnete. Er war leer. Keine sichtbaren Blutspuren, ebenso wenig, soweit sie das feststellen konnte, am Lenkrad oder auf den Vordersitzen. Tatsächlich war der Wagen, wenn man von den jüngst entstandenen Schäden absah, in tadellosem Zustand. Aber der Todesschütze hatte doch geblutet, oder? Und als man ihn auf die Wache gebracht hatte, war Empson unverletzt gewesen. Dann war da noch der Friedhof, dieser Mann namens Gravy, in dessen Bett niemand geschlafen hatte.

Das ergab alles keinen Sinn.

»Sagen Sie einfach denen von der Spurensicherung, sie sollen sich ranhalten«, sagte sie und beendete das Gespräch.

ACHTES KAPITEL

Gravys Geschichte (3)

Das Zimmer gefiel mir gut. Es war so sauber, dass ich mich fast nicht traute, irgendwas anzufassen. Schließlich gehörte mir ja nichts davon wirklich. Bei Celine war das anders. Sie hatte den weißen Bademantel aus dem Bad angezogen und dazu weiße Schlappen. Sie hatte geduscht und sich aus der Minibar bedient. Nicht, dass wir im selben Zimmer schlafen würden! Getrennte Zimmer; aber mit einer Verbindungstür. »Benachbarte Schlafzimmer«, hatte die Frau am Tresen unten gesagt. Das Hotel war »eines der luxuriösesten der Hauptstadt«. Es hatte ein Hallenbad und etwas, das »Wellness-Center« hieß. In den Zimmern gab es große Fernseher und einen Wasserkocher und ein Bügeleisen und ein Bügelbrett. Und auf dem Tisch Illustrierte und eine Schale Obst. Ich war auf meinem Sofa eingeschlafen, nicht mal bis zum Bett hatte ich es geschafft. Als ich aufgewacht bin, war Celine ausgegangen, einkaufen. Sie hat für mich ein sauberes Hemd und eine Hose gekauft. Die Hose war ein bisschen zu lang, aber um den Bauch rum passte sie. Auch das Hemd passte. Sie hat mir gesagt, ich könnte ein, zwei Tage bleiben. »Nur bis ich mir einen Plan zurechtgelegt hab.« Aber ich dürfte mit niemandem reden und niemanden anrufen und nicht rausgehen oder sonst was.

»Stellen Sie sich einfach vor, Sie wären im Urlaub.«

Die Aussicht aus meinem Fenster war wie im Film, eine breite Straße und dahinter Edinburgh Castle. Im Erdgeschoss gab es eine Bar und ein Restaurant, aber Celine hat gesagt, ich sollte den Zimmerservice anrufen.

»Gegessen wird im Zimmer, Gravy. Wir wollen nicht, dass jemand Sie sieht.«

Mir kam der Verdacht, dass sie genau deswegen die Tür zwischen unseren Zimmern offen ließ. Sie wollte mich im Auge behalten. Sie sagte, ich sollte nicht auf irgendwelche »dummen Ideen« kommen.

»Okay«, hab ich gesagt.

Ich hatte schon den ganzen Tee und Kaffee in meinem Zimmer ausgetrunken. Da durfte ich von ihrem etwas nehmen. Die rote Tasche war im Kleiderschrank in ihrem Zimmer. Sie hatte gesagt, sie würde mir etwas Geld geben, bevor wir uns trennten. Benjys Auto war im Parkhaus vom Hotel. Einer der Leute vom Hotel hatte gefragt, ob sie es reinigen sollten. Ich hab den Kopf geschüttelt.

»Sicher?«

Ich war ganz sicher. Sicher, sicher, sicher, sicher. Fünfmal, zur Sicherheit.

Celine lag auf ihrem Sofa und trank wieder so ein Fläschchen aus ihrer Minibar. Es war noch immer Vormittag. Ich hab mich gefragt, was mein Boss denken würde. Und die Leute, die mit mir im Haus wohnten. Es gab Sachen, die ich erledigen musste. Ich würde einen Tageslohn verlieren. Meine Handschuhe lagen noch immer im Auto. Was, wenn jemand es aufbrach und sie klaute? Ich hatte nicht mal die Schlüssel, einer der Leute vom Hotel hatte sie behalten. Das war nicht gut, jetzt wo ich darüber nachdachte. Ich stand in der Tür und starrte Celine an. Sie guckte fern. Da waren Leute in einem Zimmer und haben sich angebrüllt. Dann war da noch ein Mann mit einem Mikrofon, aber der schien irgendwie nicht helfen zu wollen.

»Ich muss was aus dem Auto holen«, hab ich zu ihr gesagt.

»Was?«

»Meine Handschuhe. Die liegen auf der Rückbank.«

»Wozu brauchen Sie die denn?«

»Die brauch ich einfach.«

»Tun Sie nicht.«

»Tu ich doch.«

Da hat sie mich angesehen und dann geseufzt. »Ich komm mit.«

»Brauchen Sie nicht.«

»Lassen Sie mir fünf Minuten Zeit, mich anzuziehen.«

Auf dem Bett waren ein halbes Dutzend große Tüten, die ganzen Kleider, die sie gekauft hatte. Ich hab genickt und bin wieder in mein Zimmer gegangen.

Gebraucht hat sie dann aber eher eine Viertelstunde. Sie hatte sich Make-up draufgetan und Parfüm. Sie sah toll aus und roch auch toll. »Vergessen Sie den Schlüssel nicht«, hat sie gesagt.

Im Fahrstuhl, auf dem Weg nach unten, hat sie gesagt, dass sie mir etwas sagen wollte.

»Nur für den Fall, dass mir was passiert.«

»Was soll denn passieren?«

»Nichts, hoffe ich. Der Zug nach London … aber die überwachen bestimmt die Bahnhöfe, nicht? Von Rosyth geht eine Fähre zum Kontinent, aber dafür bräuchte ich einen Pass. Ich weiß es noch nicht genau, Gravy. Es muss doch *irgendeinen* Ort geben, oder?«

»Gibt jede Menge Orte«, hab ich gesagt.

»Einen Ort, wo ich in Sicherheit wäre. Es gibt Leute, die mir wehtun wollen, Gravy.«

»Was für Leute?«

»Na ja, vielleicht nicht wehtun, vielleicht bloß Angst einjagen.« Die Tür vom Fahrstuhl ist aufgegangen, und wir sind ausgestiegen. Sie hat nichts mehr gesagt. Sie hat den Mann am Tresen um den Autoschlüssel gebeten.

»Wir fahren den Wagen vor, Madam.«

»Nein, wir müssen da nur etwas rausholen.«

Da ist er also weg und mit dem Schlüssel zurückgekommen. »Stellplatz Nummer zwölf, Madam.«

Dann sind wir wieder losgegangen. Aus dem Hotel raus und über so was wie einen Hof. Das Parkhaus war direkt gegenüber. Es war aus Beton und mehrere Stockwerke hoch. Celine hatte wieder angefangen zu reden.

»Ich hab was gesehen, was ich nicht hätte sehen dürfen, Gravy. Ich war spazieren, in Brigham Woods. Wissen Sie, wo das ist? Am Stadtrand. Ich versuchte, einen klaren Kopf zu bekommen. Mein Freund hatte mich sitzenlassen. War an sich nicht weiter schlimm, aber er hatte was mit einer angefangen, die ich kannte. Einer, die ich für meine Freundin gehalten hatte. Und wie hätte ich sie da fragen können?«

»Was fragen?«

»Wie lang das schon mit ihnen beiden lief.«

»Ein Spaziergang ist immer gut, wenn man nachdenken will«, hab ich gesagt.

»Aber das Timing war schlecht. Da stand nämlich ein Auto. Mit drei Männern drin. Ich hab sie klar und deutlich gesehen. Ein paar Tage später steht's in der Zeitung: ›Leiche in Brigham Woods aufgefunden‹. Also bin ich zur Polizei. Ich war bloß … keine Ahnung, ich dachte bloß, wie aufregend das wäre, Teil der Geschichte zu sein, etwas zu wissen, das alles ändern konnte. Wissen Sie, was ich meine?«

»Vielleicht.«

Wir gingen die Rampe zum Parkhaus hoch. Da drin war wenig Licht. Auf dem Boden standen Zahlen. Wir wollten zur Nummer zwölf …

»Ich konnte nämlich die Männer identifizieren. Und wie sich rausgestellt hat, war der eine von ihnen das Opfer, und die anderen arbeiten für einen gewissen George Renshaw. Das ist ein Gangster, Gravy, und sein Vize heißt Don Empson. Bei der Polizei haben sie mir ihre Fotos gezeigt. Inzwischen war es irgendwie zu spät, obwohl ich wusste, dass ich bis zum Hals im Schlamassel steckte. Ich hab versucht, ihnen einzureden, dass ich mir nicht sicher wäre, nicht hundert Prozent sicher. Ich hab gesagt, ich würde vor Gericht nicht aussagen. Aber die haben nicht lockergelassen. Und dann haben sie mir gesagt, es wäre vielleicht besser, wenn ich für eine Weile aus meiner Wohnung ausziehen würde. Ich wusste, was das bedeutete – es bedeutete, dass sie hinter mir her waren …«

»Wer?«

»Renshaw und Empson, und die anderen zwei, die, die ich identifiziert hatte. Und ich sag Ihnen, ich geh ums Verrecken nicht vor Gericht. Da müssten mich die Bullen schon hinschleifen.«

»Na ja«, hab ich da gesagt, um sie irgendwie zu trösten, »dann ist doch alles in Ordnung. Sagen Sie denen das doch einfach.«

»Genau«, hat sie gesagt und mich wieder so angeguckt. Dann hat sie den Finger ausgestreckt. »Da ist das Auto … Don Empsons Auto. Mir ist immer noch nicht klar, wie Ihr Kumpel Benjy da drangekommen ist.«

»Er war auch *Ihr* Kumpel«, hab ich sie erinnert. Sie hat den Mund ein bisschen verzogen.

»Nun holen Sie schon ihre kostbaren Handschuhe«, hat sie gesagt und auf den Knopf gedrückt, damit die Türen aufgingen. Sie hatte sich umgedreht und die Arme verschränkt und ließ den Kopf hängen. Ich glaube, sie tat sich selbst leid. Ich konnte meine Handschuhe sehen. Aber als ich mich ins Auto reingebeugt habe, hab ich auf dem Boden unter dem Fahrersitz herumgetastet, bis ich das gefunden habe, was ich eigentlich wollte, nämlich die blaue Plastiktüte.

Die Strickmütze mit den Augenlöchern ist auch mit rausgekommen, aber die hab ich wieder zurückgestopft. Ich hab meine Handschuhe in die Tüte getan und die Tür wieder zugemacht.

»Jetzt zufrieden?«, hat sie gefragt.

»Zufrieden«, hab ich gesagt.

Sie hatte andere Dinge im Kopf. Den ganzen Weg zurück zu unseren Zimmern hat sie nicht ein Mal gefragt, wo die blaue Tüte plötzlich herkam.

NEUNTES KAPITEL

Bob Sanders trifft einen korrupten Bullen

Bob Sanders ging nicht gern in andere Polizeiwachen. Er hatte immer das Gefühl, dass seine Kollegen ihn abschätzig betrachteten. Er wusste, was sie in ihm wahrscheinlich sahen – einen Mann kurz vor der Pensionierung, einen Mann, der schon zum alten Eisen gehörte, einen Mann, der es eigentlich hätte weiter bringen sollen. Aber Bob wusste, dass er gut in seinem Job war. Wenn er nicht befördert worden war, lag das ausschließlich daran, dass er sich Feinde gemacht hatte. Wenn er einen nicht mochte, sagte er es einem ins Gesicht. Wenn ihm nicht gefiel, wie man Sachen anpackte, sagte er es einem ins Gesicht. Nicht alle wussten das zu schätzen.

Er war seit einer Ewigkeit bei der Truppe und deswegen allgemein bekannt, wenn auch nicht unbedingt beliebt. Er stieß die Tür der Wache auf, ging zum Empfangstresen und drückte auf die Klingel, damit jemand wusste, dass er da war. Als der Jemand kam, zeigte er ihm seinen Dienstausweis und fragte nach Detective Sergeant Connolly. DS Connolly bat ihn nicht zu sich herauf ins CID-Büro, sondern kam zu ihm herunter. Connolly war Anfang der dreißig und sah hart, aber abgestumpft aus – die Sorte Beamter, die sich besser einen anderen Job hätte suchen sollen. Bulle zu sein war mittlerweile zu einfach geworden. Connolly gab Bob die Hand und fragte, was das Problem sei.

»Sie gehen gleich davon aus, dass es ein Problem ist«, sagte Bob mit einem schmalen Lächeln.

»Wann ist es das nicht?«

Connolly fragte, ob sie nach draußen gehen könnten. Der Tag war hell und windig. Sobald sie auf dem Bürgersteig standen, steckte er sich eine Zigarette an. Bob hatte abgelehnt. Er stand da und wartete darauf, dass Connolly sich entspannte. Aber da hätte er lange warten können.

»Ich interessiere mich für einen BMW«, sagte Bob. »Ich hab die Funkzentrale gebeten, das Kennzeichen rauszugeben, und raten Sie mal, was der Kollege gesagt hat? Er sagte, das sei schon längst passiert. Ich fand das ein bisschen merkwürdig, also habe ich gefragt, wann, warum und für wen. Letzte Nacht, hieß es, und zwar auf *Ihre* Veranlassung hin, DS Connolly.«

Connolly machte einen Lungenzug, behielt den Rauch eine Zeitlang drinnen und stieß ihn dann durch die Nase wieder aus. Seine einzige Antwort war ein Achselzucken.

»Ich geh davon aus«, fuhr Bob fort, »Sie wissen, dass das fragliche Fahrzeug einem gewissen Donald Empson gehört. Es könnte ihn mit einer Schießerei in Verbindung bringen, die es gestern in einer Autowerkstatt gegeben hat. Aber das Team hat es erst jetzt rausgefunden, während *Sie* irgendwo eine gut funktionierende Kristallkugel versteckt zu haben scheinen.« Bob schwieg kurz, aber Connollys Aufmerksamkeit galt nach wie vor ausschließlich seiner Zigarette. »Gut, und wenn Sie nicht möchten, dass ich damit ein paar Etagen höher gehe, und mit ›ein paar Etagen‹ meine ich, bis ganz nach oben, dann lassen Sie jetzt Ihre Version der Geschichte hören. Vielleicht kann die Sache unter uns bleiben. Vielleicht werden Sie nicht gleich Ihren Job und Ihren Pensionsanspruch verlieren.«

Das, wusste Bob, war genau die Art von Drohung, die bei Connolly mit Sicherheit wirken würde. Der Mann blies die Backen auf, und dann endlich redete er.

»Das war nur eine Gefälligkeit.«

»Für wen, Don Empson?« Connolly nickte. »Jemand hat also sein Auto geklaut, und er will es wiederhaben. Hat er was von der Schießerei gesagt?«

»Er meinte, es habe möglicherweise einen Verwundeten gegeben.«

»Der Typ in der Werkstatt ist tot.«

»Ich glaube, er meinte den, der mit seinem Auto weg ist.«

»Und das haben Sie für sich behalten?« Bob stand fast Nase an Nase mit Connolly. »Sie sind schlimmer als *die*, ist Ihnen das klar?«

Connolly hielt seinem Blick stand. »Das weiß ich seit Jahren«, sagte er, schnippte den Stummel der Zigarette auf den Asphalt und wandte sich wieder zur Tür der Polizeiwache.

Bob holte sein Handy heraus und rief Jane an, um ihr die Neuigkeit durchzugeben.

Stadtrat Hanleys Haus

Lorna Hanley war an dem Morgen um sieben aufgewacht. Ihr Mann Andrew lag nicht im Bett. Sie schlüpfte in ihren Morgenmantel, machte die Tür zu seinem Arbeitszimmer einen Spaltbreit auf und sah ihn, vollständig angezogen, in seinem Sessel schlafen. Sein piependes Handy teilte ihm gerade mit, dass es Nachrichten für ihn gab. Er hielt den Kopf unnatürlich schief, und sie wusste, dass er nach dem Aufwachen einen steifen Nacken haben würde.

Unten machte sie sich Tee und räumte den Geschirrspüler aus. Es waren nur noch zwei Spültabs übrig, also notierte sie sich, dass sie neue kaufen musste, und steckte dann die leere Packung in den Mülleimer. Der Eimer war fast voll, also zog sie den Müllbeutel heraus, knotete ihn zu und ersetzte ihn durch einen neuen. Das war zwar theoretisch Andrews Aufgabe, aber wie so viele von Andrews Aufgaben wurde sie zu guter Letzt immer von ihr erledigt. Während sie frühstückte, hörte sie Radio. Es kam ein Bericht über eine Schießerei. Davon gab es in letzter Zeit viele in der Stadt. Der Besitzer einer Autowerkstatt war tot. Wie der Nachrichtensprecher sagte, seien »der oder die Täter« vermutlich flüchtig und verwundet. Sie schnalzte missbilligend mit der Zunge, schloss die Küchentür auf und trug den Müllbeutel nach draußen. Als sie die Mülltonne öffnete, sah sie, dass ein Paar Schuhe darin lag. Es waren Andrews Schuhe, und sie befanden sich in einem einwandfreien Zustand. Na ja, einwandfrei, wenn man von den Farbflecken absah, aber Farbe ließ sich schließlich entfernen.

Sie musste sowieso einkaufen gehen, und sie nahm an, dass sie eine Schuhreparatur finden würde. Vielleicht würde man ihr da helfen können. Sie steckte die Schuhe in eine Tragetasche und beschloss, diese gleich ins Auto zu tun, um sie nicht zu vergessen. In letzter Zeit war sie ein bisschen vergesslich, weswegen sie sich gern alles aufschrieb.

»Du hast einfach zu viel am Hals, Mädchen«, sagte sie zu sich.

Aber als sie die Haustür öffnete und zum Wagen ging, sah sie, dass die hintere Stoßstange eingedellt war. Kein Wunder, dass Andrew letzten Abend so reizbar gewesen war – jemand hatte seinen geliebten Jaguar angefahren! Sie schnalzte wieder mit der Zunge und entriegelte die Türen. Auf dem Beifahrersitz lag die Zeitung vom Vortag. Sie legte an ihre Stelle die Schuhe und nahm die Zeitung mit ins Haus, um sie in den Papiermüll zu werfen. Aber Andrew hatte etwas auf den Rand der ersten Seite gekritzelt. Vielleicht war es etwas Wichtiges. Sie setzte die Brille auf und las die Notiz.

RAYMONDS SERVICE, 16:00, Empson/Geld.

Lorna Hanley starrte auf die Worte, als seien es fremde Schriftzeichen. Sie hörte hinter sich ein Geräusch. Andrew stand in der Tür und rieb sich mit der Hand über das Gesicht.

»Du warst dort«, sagte sie mit zitternder Stimme. »Du warst in dieser Autowerkstatt, wo der Mann erschossen wurde.«

Er blinzelte. Sein Mund öffnete sich und klappte dann wieder zu. Mann und Frau starrten sich ein paar Sekunden lang in die Augen. Sie war darauf gefasst, dass er es abstreiten würde, aber stattdessen machte er auf der Stelle kehrt und rannte hinaus, ohne die Tür hinter sich zu schließen. Sie sah ihm nach. Sie ging sogar hinaus, um zu sehen, wohin er laufen mochte, aber er war schon verschwunden. Wieder in der Küche trank sie ihre Tasse Tee aus und starrte dabei ins Leere. Dann nahm sie den Telefonhörer ab. Andere Ehefrauen hätten das vielleicht nicht getan, aber sie war nun mal so erzogen worden. Sie wusste, dass es das einzig Richtige war.

»Hallo?«, sagte sie in die Sprechmuschel. »Spreche ich mit der Polizei …?«

ZEHNTES KAPITEL

Gorgeous George ruft seinen Bruder an

»Stewart? Bist du das?«

»Wer sollte es sonst sein? Was gibt's?«

Gorgeous George Renshaw war außer Atem. Er hatte es geschafft, vom Schrottplatz zu fliehen und im Labyrinth der angrenzenden Straßen zu verschwinden. Er wusste, dass er mit seinem Anwalt reden sollte, aber aus irgendeinem Grund hatte er stattdessen seinen Bruder angerufen. Er war auf dem Weg zu einem Café, das er kannte. Es war gerade zwei Blocks weiter den Hügel hinauf.

»Bist du *zu Fuß* unterwegs?« Stewart klang geradezu sprachlos.

»Eine Bullin hat mir einen Besuch abgestattet.«

»Und?«

»Sie hat ein Auto erkannt. Don hatte es aus Raymonds Werkstatt mitgenommen. Ich war gerade dabei, es zu entsorgen.«

»Es bringt also Don mit dem Schauplatz der Schießerei in Verbindung?«

»Und mich gleich mit!«

»Du brauchst lediglich zu sagen, dass du nichts über die Karre weißt. Don Empson ist mit einem Auto angekommen, das er zu Schrott verarbeiten lassen wollte. Du kennst ihn schon seit Ewigkeiten, deswegen hattest du das Gefühl, ihm den Gefallen tun zu müssen.«

»Das ist gut«, sagte George leise. Jetzt wusste er, warum er Stewart angerufen hatte. Stewart fiel immer was ein.

»So, ich hab dir einen Gefallen getan, jetzt kannst *du* mir vielleicht einen tun und mein Geld wiederbeschaffen, egal, wer's geklaut hat!«

»Don ist an der Sache dran.«

»Klar. Bis ihn die Bullen aus dem Verkehr ziehen ...«

George hatte das Café erreicht. Die Tür öffnete sich mit einem leisen Glöckchenbimmeln. Der Besitzer, der ihn kannte, nickte und lächelte. George setzte sich, das Handy noch immer am Ohr, an den Tisch am Fenster.

»Wo ist er überhaupt?«, wollte Stewart wissen. »Sein Neffe ist noch immer nicht zur Arbeit erschienen.« George hörte, dass im Hintergrund ein weiteres Telefon klingelte. Stewart unterbrach sein Gespräch mit George, um das Gespräch entgegenzunehmen.

George starrte aus dem Fenster und fragte sich, wie die Welt unverändert aussehen konnte, während sein persönliches Universum zunehmend aus den Fugen geriet. Es war keine Minute vergangen, als Stewart sich wieder meldete. »Das waren die Bullen«, sagte er. »Sie wollen wissen, wo sie Benjy finden können.«

»Er hat sich immer noch nicht blicken lassen?«

»Nein.« Stewart verstummte und schwieg so lange, bis George befürchtete, die Verbindung sei abgerissen. Dann hörte er aber seinen Bruder laut ausatmen. »Wart mal«, sagte Stewart. »Wie sind die Bullen eigentlich auf dich gekommen, George? Wie konnten sie so schnell zwei und zwei zusammenzählen?«

»Ich weiß es nicht.«

»Don stellt den Wagen bei dir ab und schwupp, stehen die Bullen auf der Matte. Gleichzeitig hat keiner Benjy seit gestern Mittag zu Gesicht bekommen. Verstehst du, worauf ich rauswill? Es war Don.«

»War was?«

»Er hat die Kohle! Hat sich eine nette kleine Altersversorgung gegönnt. Er will doch schon, seit der Alte gestorben ist, aus der Firma raus. Also inszeniert er die ganze Sache. Fährt angeblich hin, um das Geld zu übergeben, aber Benjy wartet schon in den Kulissen …«

»Das würde Don nie tun.« George drehte sich der

Kopf. Ein Becher starker Tee erschien vor ihm auf dem Tisch, und er löffelte Zucker hinein. Es landete mehr davon auf dem Tisch als im Becher.

»Komm schon, George, denk doch mal nach!«, sagte Stewart derweil.

George *versuchte* nachzudenken. Es war nicht leicht. Er hatte ein Sausen in den Ohren, und sein Herz schlug wie verrückt. Don hatte nicht versucht, den Schützen außer Gefecht zu setzen. Don hatte ihn nicht verfolgt. Don hatte es ihm, George, überlassen, den Bentley verschwinden zu lassen. Don war irgendwo mit Sam und Eddie unterwegs.

»Du glaubst wirklich …«

O ja, Stewart glaubte wirklich. »Hast du eine Ahnung, wo er momentan steckt?«

»Ist auf der Suche nach Celine Watts. Er hat Sam und Eddie dabei.«

»Und für wen arbeiten die beiden, George? Für dich oder Don?«

»Das sind meine Jungs.«

»Dann sag ihnen, sie sollen Don herbeischaffen. Wir werden ein paar Takte mit ihm reden und hören, was er zu sagen hat.«

George nickte. »Und sag, was ist mit Hanley?«

»Ich hab ihn bis jetzt noch nicht erwischt. Kann sein, dass ich ihm einen Hausbesuch abstatten muss.«

»Er scheißt sich wahrscheinlich die Hosen voll.«

»Und fürs Erste wird's auch dabei bleiben, ja. Aber früher oder später wird er wieder anfangen, nach dem Geld zu fragen.«

»Du kriegst dein Geld zurück, Stewart.«

»Das weiß ich, kleiner Bruder. Das weiß ich.«

Bob Sanders hat Neuigkeiten für Jane

Bob Sanders hatte wieder Jane in der Leitung.

»Wo sind Sie?«, fragte er sie.

»Fahr grad vom Schrottplatz.«

»Dann ist also ein Team gekommen?«

»Zu guter Letzt, ja. Gibt's was Neues von Empson und seinem BMW zu berichten?«

»Nein, aber hören Sie sich das an. Eine Frau hat den Notruf angerufen.«

»Nein, *was* Sie nicht sagen!«

»Ihr Mann ist Andrew Hanley. Er ist Stadtrat. Nicht nur das, er ist Leiter des Bauamts.«

»So weit kann ich Ihnen folgen.«

»Mr. Hanley ist gestern Abend mit Blut an den Schuhen nach Hause gekommen. Raten Sie mal, wo er gewesen ist?«

»Wo?«

»In ›Raymonds Servicewerkstatt‹.« Bob schwieg kurz. »Zu einem Meeting mit Donald Empson und einer Geldsumme unbekannter Höhe.«

Jane pfiff durch die Zähne. »Ist er verletzt?«

»Seine Frau glaubt, nein. Er hat ihr erzählt, das Blut wäre Farbe.«

»Wenn er also nicht verletzt ist, und Empson auch nicht, dann fehlt uns noch einer.«

»Und Benjamin Flowers glänzt weiterhin durch Unauffindbarkeit. Vielleicht kann uns Mr. Hanley ja aufklären.«

»Wo ist er jetzt?«

»Na ja, laut seiner Frau hat er, als sie ihn zur Rede stellen wollte, fluchtartig das Haus verlassen. Ich könnte mir vorstellen, dass sich das mit einigen weiteren Anrufen in Verbindung bringen lässt, betreffend einen Mann, der, ohne Jackett und Schuhe, wie vom Teufel gehetzt durch den Murison Park rannte.«

»Ist ein Streifenwagen auf dem Weg dorthin?«

»Ja.«

»Was würde ich bloß ohne Sie tun, Bob?«

»Ein Vermögen an Süßigkeiten sparen.«

Sam und Eddie hatten Hunger. Sie hatten praktisch immer Hunger. Deswegen fuhren sie auf einen Parkplatz an der Umgehungsstraße. Dort parkte ein Imbisswagen. Don Empson roch gebratene Zwiebeln.

»Die besten Burger der Stadt«, hatte Eddie gesagt. Was Don nicht davon abgehalten hatte zu erklären, er habe keinen Hunger. Er schluckte lediglich drei weitere Tabletten, die er mit Wasser aus einer Flasche hinunterspülte. Sein Magen brannte wie Feuer. »Versuchen Sie, das Stressniveau am Arbeitsplatz möglichst niedrig zu halten«, hatten die Ärzte empfohlen. Nichts leichter als das … Das Wasser hatte er gekauft, als sie zum Tanken gehalten hatten. Er hatte wieder versucht, seinen Kontaktmann bei der Polizei zu erreichen, aber Connolly hatte nicht abgenommen. Sackgassen, wohin er auch schaute.

Er hoffte, Benjy hatte sich irgendwo verkrochen und jemand kümmerte sich um ihn. Das Ganze war Dons Schuld. Der Junge hatte nie für den Job getaugt. Ständig hatte er irgendwelche Plänchen und Ideechen ausgeheckt, »todsichere« Wege zum schnellen Geld. Mehr als einmal hatte Don seinem Neffen den Arsch gerettet. Es hatte Spielschulden gegeben,

Pokerspiele, die schiefgelaufen waren. Und kostspielige Freundinnen, passend zu dem Luxusschlitten, den er fuhr. Wochenenden in Fünf-Sterne-Hotels. Falsch, von vorne bis hinten falsch.

Und es war alles Dons Schuld.

Das Beste, was er hoffen konnte, war, das Geld schleunigst wiederzubeschaffen und dann zu versuchen, Benjy außer Landes zu schmuggeln. Das war die einzige Möglichkeit – sonst war er ein toter Mann. Diese Gedanken gingen Don durch den Kopf, während er durch die Windschutzscheibe starrte. Sam und Eddie vertilgten ihre Burger, kickten dabei gegen Kieselsteine und lachten über irgendetwas. Ohne die geringsten Sorgen, wie es aussah. Als sein Handy klingelte, fischte Don es aus der Tasche.

Irrtum.

Nicht sein Handy, *ihres*. Er griff in seine andere Tasche. Die Nummer auf dem Display sagte ihm nichts. Er hütete sich abzunehmen, um den Anrufer nicht durch den Klang einer unerwarteten Stimme zu verschrecken. Er ließ das Handy einfach weitertrillern. Und als es verstummte, wartete er, bis das Display ihm mitteilte, er habe »1 nicht angenommene Anrufe« gehabt.

Dem ein paar Augenblicke später »1 neue Nachricht« folgte.

Don tippte die Nummer ein und drückte sich das Handy ans Ohr. Es war Celine Watts' Stimme. Sie hatte ihr eigenes Handy angerufen.

»Donna?«, begann sie. Sie meinte ihre Kusine. »Ich hoffe, du kannst das abhören. Bei deinem Handy ist das Guthaben aufgebraucht. Tut mir leid, dass ich einfach so abgehauen bin, du sollst nur wissen, dass mit mir alles in Ordnung ist. Ich brauchte nur einen kurzen Luftwechsel, das ist alles. Ich bin auch zu etwas Kohle gekommen, aber krieg jetzt nicht die Krise, ich seh schon zu, dass du was davon abbekommst.« Dons Finger krampften sich um das Handy. Er wusste, wessen Geld das war. »Wie auch immer, ich wollte nur, dass du Bescheid weißt. Ich meld mich wieder, sobald ich weiß, wohin ich fahre. Mach's gut.« Dann eine Konservenstimme: »Ende der Nachricht.« Don starrte auf das Display und tippte dann die Nummer ein, die erschienen war, als Celine angerufen hatte.

Es meldete sich eine Telefonzentrale. »Mansion Park Hotel, mit wem darf ich Sie verbinden?«

Don dachte einen Moment über diese Frage nach. Dann entschied er sich. »Ich bräuchte nur Ihre Adresse«, sagte er und schlug mit der flachen Hand auf die Hupe, um Sam und Eddie mitzuteilen, dass die große Pause vorbei war. Sam hielt aber einen Finger in die

Höhe. Er bekam selbst gerade einen Anruf und musste abnehmen. Er sprach ein paar Worte, dann hörte er lange zu. Davon bekam Don allerdings nichts mit; er war damit beschäftigt, sich Namen und Adresse des Hotels zu notieren.

Als Sam sich wieder ans Lenkrad setzte, sagte er: »Wir müssen zurück.«

»Kommt nicht in Frage«, widersprach Don. »Ich hab grad Celine Watts' Adresse rausbekommen.

»Wirklich?«

»Ja, wirklich. Und das bedeutet, wir fahren nach Edinburgh.«

Sam schien zu zögern. »Der Boss will, dass wir zurückkommen.«

Don schüttelte den Kopf. Er holte sein Handy heraus, tippte Gorgeous Georges Nummer ein und redete sofort los, sobald der Anruf angenommen wurde.

»George, ich weiß, wo Celine Watts ist, und ich glaube, sie hat die Tasche.«

Ein kurzes Schweigen. »Stimmt das auch, Don?«

George klang irgendwie nicht wie sonst. Don runzelte die Stirn. »Was ist los?«, fragte er.

»Du kommst her, Don. Ich hätte ein paar Fragen, zu denen ich Antworten brauch.«

Don rutschte das Herz in die Hose. »Hör mal,

George, ich kann das in Ordnung bringen. Echt, glaub's mir.«

»Also, wo ist das Geld?«

»Im Mansion Park Hotel in Edinburgh. Celine Watts hat es.«

»Hast du einen sitzen, Don?«

»Ihr Name und ihre Adresse lagen in meinem Auto. Ein Typ namens Gravy hat den Wisch in die Finger bekommen und dachte, die Watts müsste eine Freundin von …« Don verschluckte die letzten Worte.

»Eine Freundin von Benjy sein?«, sagte George.

»Ja«, murmelte Don. Jetzt war die Wahrheit endlich raus.

»Du willst damit sagen, das war nicht deine, sondern seine Idee?«, fragte George.

»Ich hab mit der ganzen Sache nichts zu tun!«

»Die Jungs bringen dich her, Don, und dann können wir das alles klären.«

Don wusste nicht, was er dazu sagen sollte. George verlangte, Sam zu sprechen. Don reichte ihm das Handy. Er konnte hören, was George sagte. Sie sollten Don zu einem Pub fahren, der George gehörte. Ihn in den Keller bringen. Ihn im Auge behalten. George würde später vorbeikommen. »Sobald ich seine Story überprüft habe.«

Sam ließ den Motor an. »Wollen Sie uns vielleicht

etwas erzählen?«, fragte er Don, während er ihm sein Handy zurückgab. Don steckte es ein.

»Ist nicht euer Problem, Jungs. Aber Celine Watts, *die* ja. Ich hatte eigentlich gedacht, es läge euch was dran, dass jemand sie zur Vernunft bringt. Sie ist mit einem Sack Kohle auf der Flucht. Wenn wir uns nicht schleunigst auf die Socken machen …«

»Das ist nicht das, was der Boss will, Don.«

»Es ist ja nun nicht so, dass er *immer* Recht hätte.«

Sam nickte langsam. »Trotzdem …«

Trotzdem wusste Don, wohin die Fahrt gehen würde. Zurück nach Glasgow und zum Showdown.

ELFTES KAPITEL

Jane und Bob tauschen Informationen aus

Streifenwagen machten Jagd auf George Renshaw. Sein Anwalt war davon in Kenntnis gesetzt worden, dass die Polizei sich mit ihm unterhalten wollte. Aber Jane wusste, dass Renshaw, wenn er verschwinden wollte, dies auch, zumindest kurzfristig, problemlos schaffen würde.

Sie war wieder auf der Wache. Andrew Hanley saß in einem Vernehmungsraum. Er hatte sich geweigert, irgendetwas zu sagen, bis man ihn an die blutbefleckten Schuhe und den Blechschaden an seinem Auto erinnert hatte. Es würde eine leichtere Übung sein, die Lackspuren an der Stoßstange mit dem Fahrzeug abzugleichen, gegen das er auf dem Werkstattvorplatz gekracht war. Außerdem war da noch die Zeitung mit dem darauf notierten Termin.

»Ich will mit meinem Anwalt sprechen«, hatte Hanley erklärt, den Kopf in die Hände gestützt, vor sich auf dem Tisch eine Tasse kalten Kaffee.

»Ihre Frau sitzt im Nebenzimmer, Mr. Hanley. Möchten Sie vielleicht auch mit ihr reden?«

Bob und Jane trafen sich auf dem Korridor. Sie grinsten sich hochzufrieden an.

»Wenn das hier zu Ende ist, werde ich einen Pralinenladen eröffnen«, sagte Bob. Jane tätschelte ihm den Arm.

»Noch sind wir nicht überm Berg.«

»Nein, aber wir sind auf dem besten Weg.« Er hielt einen Zettel in die Höhe. Die Liste der Aufgaben, die Jane ihm zugeteilt hatte. »Vorläufiger Bericht der Kriminaltechnik – Fingerabdrücke im Bentley und im Wagen auf dem Friedhof sind identisch. Stammen wahrscheinlich von Don Empson, aber die Bestätigung wird noch ein Weilchen auf sich warten lassen. Blut und Hirnsubstanz an einem Kotflügel des Bentley stammen mit ziemlicher Sicherheit von Raymond. Und apropos Bentley, der Halter ist von dem Reinigungsjob nicht gerade begeistert.«

Jane lächelte und verschränkte die Arme, da sie wusste, dass das noch nicht alles war. Bob warf wieder einen Blick auf seine Liste.

»Das Blut auf dem Friedhof hat dieselbe Blutgruppe wie eine der Pfützen in der Werkstatt. Auch hier heißt es warten, bis wir die Ergebnisse der DNA-Untersuchung haben.«

»Aber kein Blut im Friedhofswagen?«

»Nein.«

»Auch nicht im Bentley oder in Benjamin Flowers' verlassenem Flitzer?«

Bob schüttelte den Kopf. »Aber Benjys Arbeitgeber sagt, er sei nicht zum Dienst erschienen.«

»Unser verletzter Revolverheld? Verschwunden, ebenso wie eine bestimmte Geldsumme und Empsons BMW.«

»Finden wir eins davon, dann haben wir wahrscheinlich auch den Rest.«

»Was ist mit diesem Typen, der auf dem Friedhof arbeitet – was für eine Rolle spielt er bei der ganzen Sache?«

Bob zuckte die Achseln. »Möglicherweise gar keine. Aber hundert zu eins, dass es auf Stewart Renshaw hinausläuft.«

»Wie das?«

»Wie man so hört, hat er ein neues Spielkasino in der Mache, das auf die Baugenehmigung wartet.«

»Was Sie nicht sagen.« Jane dachte einen Augenblick lang nach. »Aber er wandelt auf dem Pfad der Gesetzestreue, nicht?«

»Wir konnten ihm jedenfalls nie das Gegenteil beweisen, falls Sie das meinen.« Bob schürzte die Lippen.

»Schön, schön.« Jane verschränkte die Arme, tief in Gedanken. »Hanley fährt zur Servicewerkstatt, um sein Schmiergeld abzuholen. Irgendwie läuft die Sache schief.«

»Jemand ist gierig geworden.«

»Benjamin Flowers?« Sie nickte langsam. »Trotzdem würde ich gern Don Empson in die Finger bekommen«, sagte sie.

»Sie müssen sich in Geduld üben.«

Sie starrte ihn an. »Im Klartext?«

»Im Klartext, lassen Sie das Team seinen Job tun. Lassen Sie jeden Ort überwachen, wo George Renshaw oder Don Empson auftauchen könnten. Wenigstens einer von ihnen macht mit Sicherheit Jagd auf Benjy, und ich persönlich würde auf Empson tippen.«

»Jagd auf seinen eigenen Neffen?«

Jetzt war es Bob, der nickte.

»Wir können also nichts anderes tun als abwarten?«, fragte sie.

»Wir können nichts anderes tun als abwarten«, bestätigte Bob.

Gorgeous George braucht ein Taxi

Vom Café zur Taxizentrale war es nur ein kurzer Spaziergang. George ging da nicht häufig hin, obwohl der Laden ihm gehörte. Die ganzen Taxis gehörten ebenfalls ihm. Er hatte zwar einen Strohmann, der die Firma offiziell für ihn führte, aber dahinter steckte sein Geld, und er war es auch, der die Gewinne einstrich. Taxis, so hatte sein Vater ihm erklärt, waren eine gute Sache. Man konnte sie dazu benutzen, um Waren und Personen durch die Stadt und auch weiter weg zu befördern. Einem Taxi schenkte niemand weiter Beachtung. George war dort, weil er selbst ein bisschen Beförderung benötigte. Sein Auto stand auf dem Schrottplatz. Dorthin konnte er unmöglich zurück. Zwei weitere Autos standen bei ihm zu Haus in der Garage, aber er schätzte, dass die Polizei auch dort auf ihn wartete. Also würde er stattdessen ein Taxi nehmen. Als er das Büro betrat, standen drei Fahrer auf. Ebenso die Frau, die das Telefon bediente. Illustrierten und Zeitungen raschelten auf den Fußboden. Becher voll Tee zitterten in ebenso vielen Händen.

Eines war allen klar. Irgendjemand steckte gewaltig in Schwierigkeiten.

»Ganz locker«, beruhigte George sie mit beschwichtigend erhobenen Händen. »Kein Grund zur Sorge, ich brauch bloß jemanden, der mich irgendwohin fährt.«

Alle drei waren bereit, ja gaben sich sogar besonders diensteifrig. George zeigte auf den, der ihm am nächsten stand. »Ich nehm Sie«, sagte er.

Draußen schloss der Fahrer das Taxi auf und fragte, wo es hinging.

»Nach Edinburgh«, erfuhr er.

Er nickte und versuchte, seine Überraschung zu verbergen. Damit war der Rest seiner Schicht abgehakt. Kaum hinten eingestiegen, hatte George auch schon wieder sein Handy am Ohr. Er wollte Sam und Eddie sprechen, wollte sich vergewissern, dass sie zur Abwechslung einmal die Sache richtig machen würden. Er sah, dass der Fahrer an irgendetwas herumfummelte, und beugte sich nach vorn.

»Schiel ich«, knurrte er, »oder haben Sie wirklich gerade das Taxameter eingeschaltet?«

»Macht der Gewohnheit«, sagte der Fahrer und schaltete es wieder aus.

So beschäftigt waren Fahrer und Fahrgast, dass sie beim Verlassen des Parkplatzes beide den Polizeiwagen in Zivil nicht bemerkten, der sich gerade in eine enge Parklücke quetschte. Die zwei Detectives, die im Wagen saßen, tauschten einen Blick.

»War er das?«, fragte der Mann.

Seine Partnerin antwortete mit einem Nicken. Sie setzten zurück, wendeten und bereiteten sich darauf vor, dem schwarzen Taxi in sicherem Abstand zu folgen.

ZWÖLFTES KAPITEL

Gravys Geschichte (4)

Celine würde mir fehlen.

»Ich hab doch grad erst gelernt, Ihren Namen richtig auszusprechen«, hab ich zu ihr gesagt.

Sie war dabei, die rote Tasche in einen Koffer auszuleeren. Das war einer von diesen schicken mit Rädern und einem Griff zum Ziehen. Als sie damit vom Einkaufen zurückgekommen ist, hat sie mir ein Geschenk mitgebracht: eine CD von Celine Dion.

»Heißen Sie wegen ihr so?«, hab ich gefragt.

»Vermutlich«, hat sie gesagt und sich weiter an dem Koffer zu schaffen gemacht. Sie wollte den Zug nehmen. Das war ein besonderer Zug, der spätnachts von Edinburgh losfuhr und am nächsten Morgen in London ankam. Sie hatte erklärt, dass man ein Bett kriegte und die ganze Fahrt über schlafen konnte.

»Klingt nett, Celine. Warum kann ich nicht mit?«

Aber sie hat den Kopf geschüttelt. »Ist sicherer für Sie, wenn Sie hierbleiben.«

»Sie haben gesagt, dass die die Bahnhöfe überwachen würden.«

»Das Risiko muss ich eingehen.«

»Es gibt ja immer noch das Auto.«

»Das ist Don Empsons Auto, Gravy. Glauben Sie etwa, die würden *nicht* danach Ausschau halten?«

Dann hat sie etwas von dem Geld zusammengefaltet und mir in die Hosentasche gesteckt. »Sie sind ein guter Freund gewesen, Gravy«, hat sie gesagt, und deswegen bin ich rot geworden. Sie hatte für eine weitere Nacht im Hotel bezahlt, für beide Zimmer. So würde man nicht so schnell merken, dass sie weg war, hat sie gesagt. Sie wollte, dass ich noch diese Nacht dableibe, und am nächsten Morgen konnte ich tun, was ich wollte.

»Frühstück ist inbegriffen«, hat sie gesagt.

»Und danach kann ich wieder nach Haus?« Sie hat genickt. »Meinen Sie, ich sollte das Auto hierlassen?«

»Wie Sie wollen.« Sie hat zu mir aufgeschaut. »Wird langsam Zeit, dass Sie selbst ein paar Entscheidungen treffen, Gravy.«

»Mach ich«, hab ich gesagt. An dem Fernseher in ihrem Zimmer war eine Uhr. »Es sind noch Stunden, bis Ihr Zug fährt.«

»Ich weiß.«

»Aber Sie gehen jetzt direkt?«

Sie nickte. »Ich hab keine Lust, weiter rumzuhängen.«

»Wir könnten ins Kino gehen.« Das ist mir einfach so rausgeplatzt. Sie hat mich angeguckt und gelächelt.

»Das Taxi ist schon bestellt.«

»Ich könnte Sie zum Bahnhof begleiten.«

Aber sie hat wieder den Kopf geschüttelt. »Besser so«, hat sie gesagt.

»Warum? Warum ist es besser?«

»Deswegen.« Langsam klang sie ärgerlich. Ich weiß, dass das bei Leuten manchmal passiert. Das passiert bei den Leuten in meinem Haus. Ich stell eine Frage zu viel, und dann klingen sie so. Wie kann der Mond leuchten? Was passiert, wenn wir sterben?

»Celine«, hab ich gesagt, aber da hat sie schon den Reißverschluss vom Koffer zugemacht.

»Ich muss los«, hat sie zu mir gesagt. Sie hat ihre Jacke angezogen. Die war brandneu. Alles an ihr sah neu aus. Sie hat ihr Haar unter eine Baskenmütze gestopft. »Ich versuch, einen auf ausländische Touristin zu machen«, hat sie erklärt.

»Ich war noch nie in London.«

»Ich schick Ihnen meine Adresse.«

»Versprochen?«

»Versprochen.« Und dann hat sie mir einen Kuss

auf die Backe gegeben, und ich bin knallrot geworden. Ich hab mich im Spiegel gesehen. Mein Gesicht stand in Flammen. Nicht gerade ein kühler Kopf, Gravy. Die Tür ist hinter ihr zugeklackt. Im Zimmer war es still, aber ich konnte ihr Parfüm riechen. Erst nach einer Minute ist mir aufgegangen, dass sie meine Adresse ja gar nicht hatte! Ich hab die Tür aufgemacht, aber sie war nicht auf dem Korridor. Na ja, ich hatte ihr vom Friedhof erzählt, wenn sie da hinschrieb, würde ich den Brief bestimmt kriegen. Ich hab eine Zeitlang auf ihrem Bett gelegen und hab mein Spiegelbild auf dem Bildschirm des Fernsehers angestarrt. Sie hatte aus der Minibar und dem Bad alles mitgenommen. Für unterwegs, hatte sie gesagt. Es gab eine Preisliste für die Minibar. Sie lag auf dem Nachttisch. Würde ich am nächsten Morgen dafür zahlen müssen? Vielleicht hatte sie mir ja deswegen das Geld gegeben.

Ich hab die Scheine aus der Tasche geholt und versucht, sie zu zählen. Fünfzehn, oder ungefähr fünfzehn. Mal zwanzig. Das war eine Menge. Die rote Tasche lag auf dem Teppich und war jetzt leer. In meinem Zimmer hatte ich meine blaue Plastiktüte. Sie lag im Kleiderschrank auf dem obersten Brett. Ich konnte die Celine-Dion-CD da reintun. Also hab ich das gemacht. Dann hab ich mir mit dem letzten

Beutel und dem letzten Rest Milch eine Tasse Tee gemacht. Ich hab mich auf mein Bett gelegt, die Füße übereinandergeschlagen, drei Kissen hinter dem Kopf. Im Fernsehen lief nicht viel. Auf einem Kanal haben die alle eine Sprache geredet, die ich nicht verstanden habe. Aber die Sendung kam mir bekannt vor. Ich war sicher, dass ich sie schon mal auf Englisch gesehen hatte.

Die Minuten krochen so vor sich hin. Vielleicht würde sie wiederkommen. Vielleicht würde sie mich vermissen, oder den Zug verpassen. Vielleicht hatte sie was vergessen. Ich hab mich wieder in ihrem Zimmer umgeguckt, aber nichts gefunden. Ich wusste, wo ihre Kusine wohnte, und das war schon mal ein Anfang. Sie würde ihre Kusine anrufen. Blut ist dicker als Wasser, hat meine Mum immer gesagt. Sie würde ihre Kusine anrufen, und ich würde da grad zufällig zu Besuch sein, und die Kusine würde mir den Hörer geben. Und dann würden sie und ich wieder zusammen sein, wieder Freunde sein.

Das Telefon in ihrem Zimmer hat geklingelt, und ich bin rübergerannt, um abzunehmen. Wer konnte es sein, wenn nicht sie?

»Hallo?«

Aber dann war die Leitung tot. Ich hab noch eine Zeitlang zugehört, aber sie ist tot geblieben. Na ja, wenigstens hatte sie versucht, mich anzurufen. Ich hab aus dem Fenster gestarrt, in den Abend. Die Burg war hell erleuchtet. Auf der Straße waren Leute. Sie sahen so aus, als wenn sie Spaß haben würden. Spaß ist ja alles im Leben, nicht? Und da ist mir aufgegangen, dass mir langweilig war.

»Pfeif aufs Frühstück«, hab ich zu mir gesagt. Andererseits, was, wenn *sie* zurückkam, und ich war nicht da? Ich hatte nämlich daran gedacht, jetzt wieder nach Haus zu fahren. Aber ich hatte versprochen, dass ich dableiben würde, noch die eine Nacht. Schon, aber mir war langweilig, und ich brauchte etwas frische Luft. Ich konnte ein bisschen rumfahren, und dann wieder zurückkommen. Oder spazieren gehen, so wie das die Leute draußen taten. Celine hatte mich damit aufgezogen, dass es auf der Straße Bars gab, wo nackte Mädchen tanzten, aber da würde ich nicht hingehen. Ich hab mich in ihrem Zimmer umgeguckt, und dann in meinem Zimmer, und dann hab ich beschlossen, meine blaue Tüte mitzunehmen. Sonst hatte ich ja nichts.

Ach ja, meinen Zimmerschlüssel. Den durfte ich nicht vergessen.

Als ich aus dem Zimmer gegangen bin, stand da ein Mann auf dem Korridor. Er stand draußen vor Celines Tür. Er hat mich angeguckt.

»Hallo«, hab ich gesagt. »Arbeiten Sie hier?«

»Richtig, Sir«, hat er gesagt und gelächelt.

»Sie ist nicht da.«

Er hat mich angestarrt. »Und woher wissen Sie das, Sir?«

»Verbindungstür«, hab ich erklärt.

»Und Sie heißen?«

»Alle nennen mich Gravy. Das ist, weil ich auf dem Friedhof arbeite.«

»Und Sie sind hier mit …«

»Celine. Sie heißt so wegen Celine Dion.«

Da hat der Mann genickt. Er kam dabei auf mich zu. Er ist erst im letzten Augenblick stehen geblieben. »Na, da hat Don ja zur Abwechslung einmal die Wahrheit gesagt. Wissen Sie, wann sie wiederkommt? Ich hätte nämlich eine Nachricht für sie.«

»Sie können Sie auch mir sagen, wenn Sie möchten«, hab ich angeboten.

»Es ist etwas Persönliches, Sir.«

Ich hab ihn von oben bis unten angesehen. Er sah nicht so aus, als ob er im Hotel arbeiten würde. Die anderen trugen alle eine Art Uniform und ein Namensschildchen. Und er hatte den Namen Don gesagt. Ich hatte den Namen erst vor Kurzem gehört.

Er hatte sich so weit vorgebeugt, dass sein Gesicht

ganz dicht an meinem war. »Wo ist mein Geld?«, hat er dann gezischt.

Ich hab ihn angestarrt. »Ich weiß nicht.«

»Ich glaube doch, Gravy. Die rote Tragetasche.«

»Die ist leer.«

»Dann hat sie also die Kohle?«

»Das Geld gehört Benjy, und Benjy wollte, dass sie es bekommt. Sie ist nett.«

Da hat er mich ganz wütend angesehen. »Ich frag Sie ein letztes Mal … Wo ist Benjy? Wo ist der Wagen? Und wo ist diese Nutte mit meinem Geld hin?«

Ich hab's irgendwie geschafft, nicht zu blinzeln. Alles war an den Rändern verschwommen, aber dann nicht mehr. Jetzt war alles gestochen scharf. »Parkhaus«, hab ich gesagt.

»Führen Sie mich hin.« Er hat mir einen kleinen Schubs in Richtung Fahrstühle gegeben. Was hätte ich sonst tun können? Er wollte es, also hab ich's gemacht.

DREIZEHNTES KAPITEL

Jane ist in Edinburgh

»Mansion Park Hotel«, sagte Jane in ihr Handy. Sie parkte vor der Nobelherberge. Das Taxi stand ungefähr zwanzig Meter weiter, und der Fahrer schwatzte in sein Handy, ohne auf irgendetwas anderes zu achten.

»In Edinburgh?«, fragte Bobs Stimme.

»Exakt.«

»Ist das seine Vorstellung von einem Versteck?«

»Wer weiß.« Jane rutschte ein bisschen auf dem Fahrersitz herum. Sobald sie erfahren hatte, dass George Renshaw wieder aufgetaucht war, hatte sie die Verfolgung aufgenommen. Und sobald sie den Wagen eingeholt hatte, der ihn beschattete, hatte sie über Funk durchgegeben, das andere Auto könne sich zurückfallen lassen. Eine Beschattung mit zwei Fahrzeugen war ideal, so konnte man immer wieder die Plätze tauschen, wodurch das Risiko sank, vom Beschatteten bemerkt zu werden. Die zwei anderen CID-Beamten standen mit ihrem

Wagen vor der Rückseite des Hotels; nur für alle Fälle.

»Ist Andrew Hanley gesprächiger geworden?«

»Und wie«, bestätigte Bob. »Erinnern Sie sich, was ich über Stewart Renshaws Spielkasino gesagt hatte?«

»Sie lagen richtig damit?«, tippte sie.

»Och, nur hundert Prozent.«

»Und trotzdem bin ich diejenige, die befördert wurde.« Jane lächelte.

»Ich hätte da noch eine gute Nachricht, falls Sie in Stimmung dafür sind.«

»Tage wie dieser kommen nicht annähernd häufig genug vor, Bob.«

»Zwei von Gorgeous Georges Jungs – die zwei, hinter denen wir wegen des Brigham-Woods-Mordes her sind – sind vor rund vierzig Minuten aufgetaucht.«

»Ja?«

»Sie haben Donald Empson in einen von Georges Pubs eskortiert. Als die zwei vom Überwachungsteam hineinspaziert sind und so getan haben, als wollten sie lediglich etwas trinken, war von keinem der drei was zu sehen. Ich würde mal auf den Keller tippen.«

»Empson hat's verbockt und soll jetzt dafür zahlen?«

»Ich möchte nicht da reinplatzen, bevor wir sicher sind.«

Jane nickte vor sich hin. »Sehe ich auch so. Vielleicht kann mir ja Renshaw was zu dem Thema erzählen.« Sie nahm eine Bewegung am Hoteleingang wahr. Zwei Männer kamen gerade heraus. »Moment«, sagte sie ins Handy. »Es tut sich was. Ich ruf Sie später zurück.«

»Jane?«, sagte Bob, gerade als sie das Gespräch beendete, »passen Sie auf sich auf, ja ...?«

Gravy und Gorgeous George

Die zwei Männer überquerten die Fahrbahn und hielten auf das Parkhaus zu. Gravy war um eine gute Handbreit größer als Renshaw. Und schlanker. Er hatte die blaue Plastiktüte in der Hand. Renshaw gab dem Fahrer seines Taxis ein Zeichen. *Alles läuft nach Plan. Lass den Motor weiter laufen. Das dauert nicht lange*. Auf dem Weg nach unten, im Fahrstuhl, hatte er ein Paar eng anliegende Lederhandschuhe übergestreift – eine Idee, die er von Don Empson übernommen hatte. Während des Gehens streckte und schloss er immer wieder die Finger.

»Sie sind also ein Kumpel von Benjy?«, fragte Renshaw. »Wie geht's ihm denn so?«

Gravy zuckte lediglich die Achseln.

»Wie konnte er sich einbilden, damit durchkommen zu können?«

Ein weiteres Achselzucken.

»Und Don. Don kennen Sie doch, oder?«

Ein Kopfschütteln.

»Sie kennen Don nicht?«

»Ich weiß, dass es sein Auto ist.«

»Welche Rolle spielen also eigentlich *Sie* bei der ganzen Geschichte, Mr. Gravy?«

»Es heißt nur ›Gravy‹, nicht ›Mr. Gravy‹.«

»Wie auch immer. Welches Stockwerk?« Sie betraten gerade das Parkhaus.

»Dieses hier«, sagte Gravy.

Die Parkebene war nur zur Hälfte besetzt, und Renshaw sah Don Empsons BMW sofort. Er stieß einen leisen Pfiff aus und stürmte fast darauf los.

»Ich hab versucht, das Blut wegzumachen«, erklärte Gravy währenddessen. »Ich hab mein Bestes getan.«

»Da bin ich mir sicher, Junge«, sagte Renshaw. Er strich mit einer behandschuhten Hand über den Wagen und spähte hinein. Dann wandte er sich zu Gravy. »Und?«

»Im Kofferraum«, sagte Gravy.

»Haben Sie den Schlüssel?«

Gravy nickte.

»Dann her damit.«

Der Schlüssel wechselte den Besitzer. Renshaw drückte auf den Knopf, und die Kofferraumhaube schnappte einen Zentimeter auf. Er riss sie vollständig hoch und stand dann mit hängender Kinnlade da. Benjys Leiche war zu einem Knäuel zusammengerollt. Sie war aufgequollen und nässte und begann schon zu riechen. Renshaw fing an zu husten. Er trat einen Schritt zurück und wandte sich dann Gravy zu. Gravy hielt die blaue Tüte in der Hand. Er zielte damit auf Renshaw. Dann drückte er auf den Abzug, und die Tüte explodierte. Durch den Rückstoß flog die Pistole Gravy aus der Hand. Renshaw zuckte zusammen und ließ sich auf ein Knie fallen und kippte dann, die Hände um sein rechtes Bein gekrampft, hintenüber. Die Kugel war in seinen Oberschenkel eingedrungen. Blut schoss in rhythmischen Schwallen heraus. Renshaws Gesicht war schmerzverzerrt. Gravy kniete sich hin und berührte die Stirn des Mannes.

»Warm«, sagte er. »Warm, warm, warm, warm.« Fünfmal, zur Sicherheit. Dann legte er aus Neugier dem Mann die Hand auf die Brust. Lag ja nahe. Wenn der Kopf warm war, dann musste das Herz kalt sein.

Kalt wie Stein.

War es aber nicht.

Es kamen Leute. Eine Frau und zwei Männer, die rannten. Gravy kannte sie nicht. Er stand auf, und einer der Männer rief, er solle vom Fahrzeug zurücktreten. Das war Gravy nur recht. Die Frau kam langsam auf ihn zu. Der andere Mann hatte sein Handy am Ohr und forderte einen Rettungswagen an. Die Frau warf einen Blick in den Kofferraum, dann starrte sie Gravy in die Augen.

»Mein Name ist Detective Inspector Harris«, sagte sie.

»Meiner ist Gravy.«

»Ja, ich weiß. Was tun Sie hier, Gravy? Sie sind ziemlich weit weg von zu Hause.«

Gravy pflichtete ihr mit einem Nicken bei.

»Arbeiten Sie für Don Empson?«, fragte sie.

Gravy schüttelte den Kopf. »Ich bin bloß Benjys Freund, das ist alles.«

»Ich nehme an, das da ist Benjy?« Sie meinte die Leiche im Kofferraum. Anstatt zu antworten, schaute Gravy zu George Renshaw hinüber. Renshaw umklammerte sein verwundetes Bein und wälzte sich, gotteslästerlich fluchend und vor Schmerzen stöhnend, auf dem Boden herum.

»Ich mag's nicht, wenn man flucht«, stellte Gravy fest. »Meine Mum hat mir gesagt, das wäre blöd.«

»Da hatte Ihre Mum absolut Recht.« DI Harris musterte den Wagen. »Der gehört Don Empson, stimmt's?«

Wieder nickte Gravy. »Aber ich dachte, das wär Benjy seiner. Kann ich jetzt wieder zu meiner Arbeit?«, fragte er.

Harris antwortete nicht sofort. Sie hatte ihr Handy herausgeholt und erklärte gerade jemandem am anderen Ende der Leitung, dass er in die Bar gehen und den Keller überprüfen sollte. Dann klappte sie das Handy wieder zu und fragte Gravy, ob mit ihm auch wirklich alles in Ordnung sei.

»Mir geht's prima«, sagte er. »Ich wollte nicht auf ihn schießen. Ich wusste nur nicht, was ich sonst tun sollte. Benjy wollte, dass ich die Pistole verstecke.« Er sah sie an. »Ich krieg Ärger, nicht? Ich hab nicht getan, was er wollte.« Er atmete tief ein und stieß einen langen, lauten Seufzer aus.

»Gibt's irgendwo Geld, Gravy? Ich glaube, es müsste irgendwo Geld geben.«

Aber Gravy schüttelte den Kopf. »Wenn Sie Celine suchen«, erklärte er der Polizistin, »sie ist nicht hier. Ich weiß nicht, wo sie hin ist, also hat's auch keinen Sinn zu fragen, oder?«

»Celine?« Zum ersten Mal sah die Polizistin verdutzt aus.

Gravy deutete auf den Boden, wo die Überbleibsel der blauen Tüte gelandet waren. Dort lag eine CD. »Meine Finger fühlen sich komisch an«, sagte er und musterte seine Finger. »Ich glaub nicht, dass ich noch mal schießen möchte.«

»Freut mich zu hören.« Harris hatte sich hingehockt, um die CD aufzuheben.

Gravy presste sich währenddessen eine Hand flach gegen die Brust. »Warmes Herz«, sagte er zur Polizistin. »Das ist doch bestimmt ein gutes Zeichen, nicht?«

Jane Harris nickte, aber sie zerbrach sich noch immer den Kopf ... Was zum Teufel hatte Celine Dion mit der ganzen Sache zu tun?